L'intelligence *i*conomique

La collection ***Méthodes & Recherches*** poursuit un double objectif :

- présenter en langue française des états de l'art complets sur des thèmes de recherches contemporains mais également pratiques, d'intérêt et de niveau international.
- réunir des auteurs et des lecteurs de divers champs disciplinaires (économistes, gestionnaires, psychologues et sociologues…) et les aider à communiquer entre eux.

Rico Baldegger, avec la collaboration de Marilyne Pasquier, *Le management dans un environnement dynamique. Concepts, méthodes et outils pour une approche systémique*
Christophe Assens, *Le management des réseaux. Tisser du lien social pour le bien-être économique*
Rémi Barré, Bastiaan de Laat, Jacques Theys (sous la direction de), *Management de la recherche. Enjeux et perspectives*
Nicole Barthe, Jean-Jacques Rosé (sous la direction de), *RSE. Entre globalisation et développement durable*
Emmanuel Bayle, Jean-Claude Dupuis (sous la direction de), *Management des entreprises de l'économie sociale et solidaire. Identités plurielles et spécificités*
Maxime Bellego, Patrick Légeron, Hubert Ribéreau-Gayon (sous la direction de), *Les risques psychosociaux au travail. Les difficultés des entreprises à mettre en place des actions de prévention*
Soumaya Ben Letaifa, Anne Gratacap, Thierry Isckia (Éd.), *Understanding Business Ecosystems. How Firms Succeed in the New World of Convergence?*
Michelle Bergadaà, Marine Le Gall-Ely, Bertrand Urien (sous la direction de), *Don et pratiques caritatives*
Jean-Pierre Bouchez, *L'économie du savoir. Construction, enjeux et perspectives*
Denis Cristol, Catherine Laizé, Miruna Radu Lefebvre (sous la direction de), *Leadership et management. Être leader, ça s'apprend !*
Nathalie Delobbe, Olivier Herrbach, Delphine Lacaze, Karim Mignonac (sous la direction de), *Comportement organisationnel - Vol. 1. Contrat psychologique, émotions au travail, socialisation organisationnelle*
Xavier Deroy (sous la direction de), *Formes de l'agir stratégique*
Michel Dion (sous la direction de), *La criminalité financière. Prévention, gouvernance et influences culturelles*
Jean-Claude Dupuis, *Économie et comptabilité de l'immatériel*
Assâad El Akremi, Sylvie Guerrero, Jean-Pierre Neveu (sous la direction de), *Comportement organisationnel - Vol. 2. Justice organisationnelle, enjeux de carrière et épuisement professionnel*
Alain Finet (sous la direction de), *Gouvernance d'entreprise. Nouveaux défis financiers et non financiers*
Anne Gratacap, Alice Le Flanchec (sous la direction de), *La confiance en gestion. Un regard pluridisciplinaire*
Denis Guiot, Bertrand Urien (sous la direction de), *Comprendre le consommateur âgé. Nouveaux enjeux et perspectives*
Thomas Lagoarde-Segot, *La finance solidaire. Un humanisme économique*
Patrice Laroche (sous la direction de), *La méta-analyse. Méthodes et applications en sciences sociales*
Alain Maes, *Le management intégrateur. Fondements, méthodes et applications*
Denis Monneuse, *Le surprésentéisme. Travailler malgré la maladie*
Claude Rochet, *Politiques publiques. De la stratégie aux résultats*
Claude Rochet, Michel Volle (sous la direction de), *L'intelligence iconomique. Les nouveaux modèles d'affaires de la 3e révolution industrielle*
Jean-Jacques Rosé (sous la direction de), *Responsabilité sociale de l'entreprise. Pour un nouveau contrat social*
Jacques Rojot, Patrice Roussel, Christian Vandenberghe (sous la direction de), *Comportement organisationnel - Vol. 3. Théories des organisations, motivation au travail, engagement organisationnel*
Patrice Roussel, Frédéric Wacheux (sous la direction de), *Management des ressources humaines. Méthodes de recherche en sciences humaines et sociales*
Sylvie Saint-Onge, Victor Haines (sous la direction de), *Gestion des performances au travail. Bilan des connaissances*
Stéphane Saussier (sous la direction de), *Économie des partenariats public-privé. Développements théoriques et empiriques*
Laurent Taskin et Matthieu de Nanteuil (sous la direction de), *Perspectives critiques en management. Pour une gestion citoyenne*
Sylvie Trosa, *La crise du management public. Comment conduire le changement ?*
Bénédicte Vidaillet, Véronique d'Estaintot, Philippe Abecassis (sous la direction de), *La décision. Une approche pluridisciplinaire des processus de choix*
Saïd Yami, Frédéric Le Roy (sous la direction de), *Stratégies de coopétition. Rivaliser et coopérer simultanément*

Sous la direction de
Claude ROCHET
Michel VOLLE

L'intelligence iconomique

Les nouveaux modèles d'affaires de la 3e révolution industrielle

Préface de **Laurent FAIBIS**

Pour toute information sur notre fonds et les nouveautés dans votre domaine de spécialisation, consultez notre site web : **http://www.deboecksuperieur.com/**

1re édition

Fond Jean Pâques, 4 – B-1348 Louvain-la-Neuve

Imprimé en Belgique

Dépôt légal :
Bibliothèque nationale, Paris : août 2015
Bibliothèque royale de Belgique, Bruxelles : 2015/0074/010

ISSN 1781-4944
ISBN 978-2-8041-8849-8

Sommaire

Préface

Voici un ouvrage qui va au fond des choses, conçu pour ceux qui veulent s'armer intellectuellement pour comprendre la transition que traversent nos économies et nos entreprises et y repenser leur stratégie.

Lorsque nous avons lancé début 2012, avec Michel Volle le *think tank* « Institut de l'*Iconomie* », il s'agissait d'abord d'alerter et de convaincre les décideurs privés ou publics que nous étions face à une véritable mue du capitalisme. Une mue qui redessine les organisations, les écosystèmes et les relations sociales. Une mue qui appelle bien plus qu'une adaptation technologique et exige de chaque entreprise, de chaque institution une remise en cause profonde de son mode de fonctionnement. Le groupe d'experts qui s'est réuni au sein de l'Institut de l'Iconomie à forgé ce néologisme pour marquer la profondeur des bouleversements en cours, là où les termes de numérique et de digital n'en révèlent que l'écume. Car c'est bien le grand saut dans le monde de l'informatisation généralisée qui en est le Sésame et permet de repenser nos organisations, pour qu'elles deviennent ouvertes, collaboratives et qu'elles libèrent de la sorte de nouvelles opportunités de création de valeur.

Les événements se sont accélérés depuis, bien plus que nous le pensions alors. Et même si nos réformes structurelles homéopathiques, nos ajustements comptables tiennent encore le haut de l'affiche dans le débat public, la prise de conscience n'en est pas moins fulgurante. Il n'existe pas un jour sans que nos journaux ou nos politiques n'évoquent le défi numérique, la déferlante des « nouveaux barbares », l'emprise tutélaire des GAFA sur notre économie, le vivier de nos *start-ups*, etc. Mais entre cette prise de conscience, l'irruption de quelques *buzzwords*, et une véritable acculturation des cerveaux, il y a encore beaucoup de chemin à parcourir. Une acculturation que facilitera certes la relève des générations. Mais surtout, un *corpus* à bâtir, dans les différents champs de la connaissance, ce à quoi contribue cet ouvrage, écrit à plusieurs mains, mais qui est bien plus qu'une somme d'articles. La réflexion a été cimentée par plus de trois années d'échanges entre les membres de l'Institut de l'*Iconomie*, auxquels ont grandement contribué tous les auteurs.

Je l'ai lu avec les questionnements qui me sont propres, en tant qu'entrepreneur engagé dans la transition iconomique et concrètement confronté à ses effets technologiques, marketing, stratégiques, organisationnels et humains. Mais aussi en tant qu'économiste, qui tente d'extraire de son expérience empirique de l'entreprise, des questionnements auxquels les courants majeurs des sciences économiques et de gestion ont du mal à apporter des réponses opérationnelles. Conscient de toutes les promesses que recèle notre régime de croissance en transition, et convaincu que les désordres du moment sont le creuset d'un monde qui naît. Mais lucide aussi sur le fait que nos sociétés subissent aujourd'hui la « révolution numérique » plus qu'elles n'en tirent parti.

Car il ne faut pas se leurrer. Après la financiarisation et la mondialisation de nos économies, ce à quoi nous assistons d'abord avec le tsunami des plateformes numériques, c'est à la submersion des dernières digues conventionnelles qui ont forgé le compromis fordiste des 30 glorieuses. C'est à l'effondrement de l'emploi des classes intermédiaires, dont les métiers sont déstabilisés par l'automatisation des tâches intellectuelles répétitives. C'est à la remise en cause des modèles d'affaires et des barrières à l'entrée traditionnelles qui sont autant de lignes Maginot. C'est à la difficulté de construire une stratégie dans un environnement profondément incertain, où les chefs d'entreprises doivent décider et agir dans la certitude de l'incertitude. C'est à l'hyper-concentration du pouvoir et de la rente entre les mains de ces plateformes planétaires, qui sont en passe de devenir les sur-traitants de l'industrie mondiale. La puissance de calcul a d'abord pour résultat de favoriser les transactions à haute fréquence, une hyper-myopie bien éloignée encore des promesses du *Big Data*, celles d'une intelligence partagée et de compétences augmentées. L'économie numérique nous fait ainsi basculer dans une « hyper société de marché », soumise au risque de prédation et à la dictature de l'instant, redonnant toute son actualité à la problématique de « la grande transformation », au sens où l'entendait Karl Polanyi.

Je fais donc partie de ces chefs d'entreprises qui ne fantasment pas sur les vertus de la dérégulation et sont beaucoup plus préoccupés par les risques d'obsolescence de nos normes et de nos institutions. Je m'interroge ainsi bien davantage sur les régulations adéquates, pour que l'économie regagne son lit. Pour qu'elle soit encastrée dans la société et respectueuse des équilibres humains et environnementaux. En tant qu'entrepreneur, je connais aussi l'épreuve que constituent la prise de décision et l'arbitrage stratégique dans une période d'incertitude radicale, toute aussi passionnante qu'éprouvante. Je mesure aussi dans la vie quotidienne de l'entreprise les conséquences concrètes du passage de témoin de la main d'œuvre au « cerveau d'œuvre », des potentialités ouvertes par la libération des forces de l'intelligence, de l'autonomie, du travail collaboratif, mais aussi ses effets anxiogènes pour les générations formées dans l'ancien monde.

Certes, comme le préconise Jean-Pierre Corniou dans un chapitre de cet ouvrage, il faut faire émerger les nouvelles valeurs du *manager* numérique, *leader* plus que patron, *coach* plutôt que chef. Mais j'observe aussi l'effacement des frontières entre la vie professionnelle et la vie privée dans un monde où le salarié reste en retard sur le consommateur. Des frontières traversées par l'accès permanent aux outils numériques polyvalents qui permettent de travailler et d'acheter à toute heure et en tout lieu, de communiquer en permanence avec ses collègues comme avec sa famille, de surveiller sa santé comme ses subordonnés où ses enfants, dans un flux continu d'émotions dont on ne sait plus si elles relèvent de la sphère du travail ou de l'intimité. Tout cela fait éclater les limites définies par un code du travail qui n'est pas simplement complexe et boursouflé, mais surtout obsolète pour affronter les défis de la transition iconomique. J'y vois un révélateur : oui, ces mutations recèlent des opportunités fabuleuses, mais à condition de se doter des institutions adéquates ! Entre le mot d'ordre et la mise en œuvre, il y a un pas de géant. Et c'est précisément cette distance que cherche à réduire cet ouvrage.

Les auteurs n'éludent en rien la dimension perturbatrice d'une économie « informatisée », d'un monde où la distance se contracte et le temps s'accélère. Loin de là. Mais ils la mettent en perspective historique. La crise que nous connaissons aujourd'hui prend alors sa pleine dimension. Crise de transition d'un système à un autre, elle appartient à ces processus qui se répètent à travers l'histoire, selon un schéma qui n'est pas fatal et qui projette le capitalisme vers un niveau de complexité supérieur.

La crise que traversent nos économies depuis 2008 (mais n'est-ce pas en vérité depuis 2000 ?), apparaît ainsi comme une phase d'instabilité financière, qui succède à l'épisode de « frénésie », d'exubérance, qui ponctue les grands cycles technologiques. La technologie profite d'abord au capital. La finance s'emballe, elle cherche à prendre le contrôle et à saisir la rente qui naît. Le premier défi est ainsi de faire rentrer le monstre de la finance, notamment de la finance parallèle, dans la boîte. Et de remettre le système financier au service de la production. C'est la condition pour que nos économies entrent dans une phase d'expansion. Mais plus que cela, c'est une question de survie. Car comme le souligne Michel Volle, l'informatisation fait émerger une économie ultra-capitalistique du risque maximum, menacée par l'ultra-violence et le retour à une nouvelle féodalité.

Cette hypertrophie de la finance, aussi spectaculaire soit-elle, n'est cependant que la partie émergée de bouleversements beaucoup plus profonds. Il ne suffira pas d'armer nos systèmes juridiques de normes et de compétences pertinentes pour juguler les débordements de la finance et ouvrir ainsi une nouvelle ère de croissance. Prendre le tournant de l'*iconomie* demande d'agir à tous les niveaux de la société.

La première des révolutions doit s'opérer dans nos cerveaux : se doter du bon logiciel de représentation de l'économie pour prendre toute la mesure des implications d'une économie à coûts fixes, où prévaut une concurrence de nature monopolistique. C'est le projet auquel s'emploie Michel Volle depuis des années, convaincu que c'est l'impréparation des entreprises aux enjeux de l'informatisation, qui fait le lit des désordres contemporains. On mesure alors à sa lecture, les limites des réponses « structurelles » apportées par nos politiques et par la plupart des économistes, de gauche comme de droite : il ne suffira pas de réanimer le vieux compromis salarial fordiste, de répondre à la crise du capital, à la « stagnation séculaire », par une vague d'investissement public dans la transition énergétique, pour sortir de la crise. Pas plus que de s'en remettre à la main invisible, en libérant l'initiative, en intensifiant la concurrence pour que le processus de destruction créatrice fasse son œuvre d'écrémage et de régénération.

Aucune de ces réponses n'est à la hauteur du défi. Car l'objectif du politique dans cette phase de transition iconomique n'est rien moins que de « mettre en congruence la sphère de l'économie, du politique, de la technologie, de la culture et de la science », pour reprendre les termes de Claude Rochet. Vaste programme me direz-vous ! Certes. Mais qui heureusement n'est pas seulement entre les mains de nos élites étatiques et qui essaime les responsabilités entre les différents acteurs du jeu économique et social, à tous les niveaux d'organisation :

Il nous faut repenser l'entreprise d'abord, comme partie prenante d'un écosystème complexe et mouvant. Car c'est désormais dans la configuration des modèles d'affaires que se joue la concurrence entre les firmes. La mise en réseau des entreprises, des ressources, et des clients démultiplie en effet les solutions de création et de captation de la valeur par les entreprises. Or les grandes plateformes, notamment celles du e-commerce, jouent un rôle pivot d'intégration des différents acteurs de l'écosystème productif. Et la façon dont l'entreprise se positionne par rapport à eux est un paramètre décisif du modèle d'affaire. La façon surtout dont nos économies développeront leurs propres effets de réseau jouera également un rôle décisif pour préserver l'équilibre si ce n'est la neutralité du net. Tout l'enjeu est de faire en sorte que les *Ali-baba, Amazon* et autres ne deviennent pas des chevaux de Troie, nouveaux prescripteurs de notre économie.

Il nous faut repenser l'État, aussi. En tant que plateforme et pivot d'un écosystème complexe, qui commence au niveau de la ville. L'intelligence de l'écosystème urbain ne viendra pas de la technologie, qui spontanément favorise le développement en tache d'huile des grandes agglomérations, mais d'un aménagement programmé. La ville intelligente, ce n'est pas la ville *smarty*, celle qui ajoute un vernis *smart* à toutes ses fonctions, mais celle qui repense l'articulation, la mise en synergie de toutes ses fonctions, qui internalise les coûts qu'elle génère en dehors de son périmètre et pense son efficacité globalement en fonction de l'architecture d'ensemble de l'aménagement du territoire. Autrement dit, dans cette phase de transition, l'État doit se concevoir comme le tuteur et l'architecte des activités et surtout des écosystèmes naissants.

Penser la transition, c'est aussi être conscient des nouveaux rapports de force et de pouvoir qui se jouent entre les territoires et de la façon dont les cartes géopolitiques sont en passe d'être redistribuées. Le monde qui naît est moins plat que ne le promettaient les représentations naïves du « village monde ». Et le *cyberespace* doit d'abord être conçu comme un nouvel espace de conflit, de guerre et d'influence. Sur cet espace, pourvu d'une topologie, des puissances de premier plan, et même hégémoniques se dégagent déjà. Le retard stratégique de l'Europe est patent, même si elle dispose de capacités considérables. Cette hiérarchie doit nous conduire, selon les auteurs, à placer au premier plan de nos préoccupations les enjeux d'une *cyberpolitique*. La vassalité numérique est une condition que l'on ne peut pas accepter : dépourvue des atouts de la puissance, l'Europe subira la transition numérique. Elle s'adaptera sûrement, mais elle perdra la main sur toute une série d'options socio-politiques et culturelles.

C'est conscient de tous les risques de domination qu'il nous faut aborder la transition iconomique, dont l'ouvrage nous montre clairement qu'il ne s'agit en rien d'une histoire préécrite, de lendemains technologiques qui chantent. Cette économie est suffisamment mouvante et immature pour que la France y trouve sa place et y développe ses atouts. C'est précisément sur cette note d'espoir de Jean Pierre Corniou, que s'achève l'ouvrage : ni miracle, ni déclin millénariste. L'étoile France ne continuera à briller que par la persévérance entrepreneuriale.

Laurent Faibis,
Président de Xerfi

Introduction

Les nouveaux modèles d'affaires de la IIIe révolution industrielle

Claude Rochet
et
Michel Volle

Vers 1770 en Angleterre, la productivité de l'économie se met à croître dans des proportions considérables, bouleversant non seulement l'organisation de l'économie mais celle de toute la société, ainsi que les rapports de forces géopolitiques mondiaux. La première révolution industrielle, celle de la mécanisation, met en avant un phénomène récurrent : une convergence entre une technologie nouvelle et une évolution des modes de production provoque une forte progression de la productivité dans un secteur porteur qui transforme l'ensemble de l'économie, la société et la répartition des richesses entre les nations.

Ce mode de production a été bouleversé à son tour par la IIe révolution industrielle, aux XIXe et XXe siècles (chimie, électricité et production de masse), qui a vu le *leadership* de l'Angleterre supplanté par celui des États-Unis, avec l'apparition de la grande entreprise. Nous sommes entrés vers 1975 dans un cycle technologique nouveau, celui de la IIIe révolution industrielle, basée sur les technologies de l'information et qui nous oriente vers l'iconomie, c'est-à-dire vers une société dont l'économie, les institutions et les modes de vie s'appuient sur la synergie de la microélectronique, du logiciel et de l'Internet.

Chacune de ces révolutions industrielles a connu ses entrepreneurs et ses héros, a entraîné un accroissement de la richesse matérielle et, simultanément, des inégalités sociales avant que, les choses se stabilisant, le progrès bénéficie à l'ensemble d'une société dont les rapports sociaux et l'organisation politique ont été profondément transformés, selon un processus marqué par des luttes sociales parfois violentes ainsi que par des guerres.

Le progrès de la connaissance historique nous permet aujourd'hui de comprendre la dynamique de ces révolutions. Il a fallu un siècle pour que le concept de « révolution industrielle » apparaisse sous la plume d'Arnold Toynbee, dans ses *Lectures on the Industrial Revolution* de 1884. S'il a fallu une centaine d'années à Toynbee, c'est qu'une telle révolution « n'éclate pas » de manière spectaculaire, comme le fait une révolution politique. Révolution veut dire *rupture* et signifie que le nouveau ne découle pas de l'ancien, même s'il s'inscrit dans l'histoire. Schumpeter a décrit ce phénomène dans sa *Théorie de l'évolution économique* (1911) : « *En règle générale, le nouveau ne sort pas de l'ancien, mais apparaît à côté de l'ancien, lui fait concurrence jusqu'à le ruiner, et modifie toutes les situations de sorte qu'un "processus de mise en ordre" est nécessaire.* » L'électricité n'est pas née de l'amélioration de la bougie, ni l'informatique du perfectionnement de la mécanographie. La transformation est à la fois radicale et progressive. La société qui subit une révolution industrielle ne connaît pas un changement d'intensité et de taille : elle est bouleversée par les effets du nouveau système technique jusque dans ses modes de vie, ses hiérarchies sociales, ses compétences et son poids dans le concert des nations.

Certaines technologies deviennent *génériques*, qu'elles soit techniques, comme l'électricité ou la chimie, ou organisationnelles, comme la production de masse inventée par Henry Ford en 1908 puis le système Toyota, qui a permis au Japon de détrôner, dans les années 1970, le *leadership* américain dans l'industrie automobile et de redevenir une grande puissance industrielle. Ces technologies se déploient en grappes d'innovations qui affectent toutes les activités.

Il n'est pas aisé de prévoir si une technologie deviendra générique : avant de fonder le système de transport qui a introduit la « mort de la distance », le rail n'a été qu'une technique qui facilitait l'utilisation de wagonnets pour extraire le minerai. On a cru que le nucléaire pourrait résoudre le problème de la rareté énergétique, on voit aujourd'hui qu'il n'en sera rien. Cette cécité devant l'avenir d'une technologie se retrouve à chaque révolution industrielle. Elle a pour pendant le lyrisme technologique, qui fait promettre monts et merveilles grâce à une technologie nouvelle : l'électricité était censée libérer les budgets ouvriers du fardeau de la chandelle, produit coûteux : elle permettra plutôt l'allongement de la journée de travail, l'augmentation des cadences et l'aggravation de la condition ouvrière. Les années 1990 ont été celles du magazine *Wired*, qui voyait dans l'Internet un monde de liberté et de paix sans États, sans frontières : nous voyons ce qu'il en advient.

Ces révolutions sont le fruit de bonds dans la connaissance et dans la capacité à la transformer en applications pratiques, à transformer l'invention en innovation. La première révolution industrielle n'a pas été fondée sur une percée technologique, car on connaissait la machine à vapeur depuis l'Antiquité, mais sur un faisceau d'améliorations incrémentales dans les arts de l'artisan, des grappes de micro-inventions dans la métallurgie et le tissage, qui sont le fruit d'un climat intellectuel favorable lié au progrès des sciences. Celles-ci n'étaient pas cloisonnées par disciplines : Pascal était autant philosophe que mathématicien et le développement des Académies – la *Royal Society* en Angleterre, l'Académie des sciences en France –, soutenu par l'État, a permis de développer une approche pluridisciplinaire de la science et a favorisé son dialogue avec les artisans inventeurs, pour résoudre les problèmes qui se posaient à l'économie, branche qui se distinguait peu d'une politique de puissance des États[1]. Cela a créé en Europe le climat d'*émulation* qu'a superbement analysé Sophus Reinert[2] où science, stratégie de puissance et industrie étaient étroitement imbriquées.

Il est donc important de comprendre, d'une part, la dynamique d'une révolution industrielle et comment l'on reconnaît que l'on est bien dans une révolution industrielle et non dans un simple changement technique et, d'autre part, quelle est la spécificité de la IIIe révolution industrielle, celle de l'économie informatisée : l'iconomie.

Ces révolutions prennent la forme de cycles en « S », dotés d'une régularité historiquement et statistiquement constatée de 50 à 60 ans, qu'il faut apprendre à lire. Si l'ordinateur est inventé en 1945, il ne devient la technologie générique d'une révolution industrielle qu'avec la naissance du logiciel comme industrie logique des machines puis, à partir de 1971, avec l'invention du microprocesseur, qui va permettre l'expansion de l'ordinateur, enfin dans les années 1990, avec l'expansion de l'Internet. La première étape, pénible, est celle du démarrage lors de laquelle les entreprises, les institutions et les personnes n'ont pas encore appris à exploiter les possibilités nouvelles, ni à éviter les risques qui les accompagnent : sortir de la crise de transition suppose de connaître et de mettre en œuvre les conditions de l'efficacité dans l'iconomie, pour retrouver une dynamique de forte croissance semblable à celle que nous avons connue lors des trente glorieuses.

Le professeur danois B.A. Lundvall raconte que lorsqu'il était, dans les années 1980, conseiller du Français Jean-Claude Paye, alors secrétaire général de l'OCDE, il n'avait de cesse d'alerter ce dernier sur l'arrivée d'une troisième révolution industrielle, fondée sur les technologies de l'information, qui allaient remettre en cause la conception dominante du développement. Lundvall n'a été entendu que le jour où Paye est revenu d'une réunion à New York avec Alan Greenspan, suite à laquelle il s'est complètement converti à la « nouvelle économie », parce que l'idéologie néolibérale s'était mise à arguer de l'arrivée des technologies de l'information pour justifier les privatisations du secteur public et autres « réformes structurelles ». L'idée d'une IIIe révolution industrielle n'a donc été admise qu'autant qu'elle s'inscrivait dans les canons de l'économie dominante. Or, ces canons de l'économie classique et néoclassique sont les mêmes depuis le début du XIXe siècle et sont construits autour d'une seule obsession : démontrer que le marché est en équilibre et constitue un système autorégulateur. Cette école de pensée est fortement contestée en raison de sa déconnexion de la réalité, de son absence d'explication du développement passé[3] et de son incapacité à tirer le potentiel à venir de l'iconomie.

Une révolution industrielle bouleverse la manière de penser, le *paradigme*[4] dominant. Or, une pensée dominante s'appuie, du fait même qu'elle est dominante, sur des mécanismes sociologiques qui incitent à refuser toute nouvelle manière de

1 Voir Rochet, Claude *L'Innovation, une affaire d'État*, L'Harmattan, 2007.

2 Reinert, Sophus, *Translating Empire, Emulation and the Origins of Political Economy*, Harvard University Press, 2011.

3 Voir Erik Reinert, *Comment les pays riches sont devenus riches et pourquoi les pays pauvres restent pauvres*, Éd. Du Rocher, 2012.

4 Un paradigme est une représentation du monde, une manière cohérente de penser et de dire ce qui est « normal » et ce qui ne l'est pas. C'est une sorte de rail de la pensée qui cadre l'acceptabilité des idées et, le cas échéant, peut aussi faire obstacle à l'introduction de nouvelles solutions

penser. Savoir penser les conséquences du nouveau système technique, savoir résister à la pression de la pensée dominante, cela ne veut pas dire que l'on rejette le passé et ses leçons. Ce livre entend s'inscrire, pour construire un rapport raisonné au réel, dans l'héritage de la devise des Lumières *Sapere aude*, invoquée par Emmanuel Kant : « Aie le courage de te servir de ton propre entendement »[5], afin de construire un rapport raisonné au réel. Il se propose de présenter de manière pédagogique la dynamique, les enjeux, les éléments du nouveau paradigme et les modes opératoires de la transition vers l'iconomie.

L'Institut de l'iconomie réunit des chercheurs, des professionnels de l'industrie et de l'administration qui entendent contribuer à la naissance de la pensée stratégique qui permettra à la France de tirer pleinement parti de la troisième révolution industrielle en élucidant les conditions de son efficacité.

Il ne prétend pas donner une définition exhaustive de l'iconomie ni de tous les problèmes qu'elle pose, mais développer une *intelligence de l'iconomie*. Une discipline ancienne[6] a fait son retour en France et dans les pays industrialisés dans les années 1990 : l'intelligence économique. Cette discipline a permis de mettre en évidence que la matière première de l'industrie et de la compétitivité est l'information : il s'agit, d'une part, de comprendre l'environnement géopolitique et concurrentiel et, d'autre part, de détecter les mouvements stratégiques des acteurs pour les anticiper, les accompagner et éventuellement les contrer. Bien souvent réduit à tort à de la simple veille, l'intelligence économique n'a de sens que si elle s'inscrit dans une compréhension globale de la dynamique à l'œuvre, si elle est une intelligence globale de l'architecture des relations entre les acteurs du développement économique et social : État, entreprises, système éducatif, associations, organisations professionnelles... Dans l'économie informatisée, les communications sont beaucoup plus intenses en rapidité et en quantité et les données deviennent la matière première essentielle : depuis 1975, les capacités de stockage et de traitement informatiques ont été multipliées[7], elles vont croître encore avec le développement de l'Internet des objets.

Nous appelons *i*conomie la représentation d'une société où l'ensemble des technologies de traitement et de stockage des données est mis au service de la production de compétences, c'est-à-dire de connaissances orientées vers l'action, et de formes d'organisation et de vie sociale favorisant la recherche du Bien commun. L'intelligence *i*conomique est donc la discipline qui permet de *penser* le développement dans la IIIe révolution industrielle.

Nous n'avons pas la prétention, à ce stade, d'en définir les contours de manière exhaustive : nous estimons n'être qu'au démarrage de cette IIIe révolution industrielle, au cœur de la crise de transition, et les leçons de l'histoire incitent à la

---

mieux adaptées. Le progrès des sciences et l'innovation, dès lors qu'ils introduisent des ruptures, proviennent toujours de la mise en question du paradigme dominant.

5 *Qu'est-ce que les Lumières ?*, 1784.

6 Elle est née en 1474 à Venise, avec la première loi sur la propriété intellectuelle.

7 L'année 2002 voit le stockage numérique l'emporter sur le stockage analogique (les bandes magnétiques), ce qui fait sauter une limite physique... en en créant une autre à venir : l'impact du fonctionnement des centres de données sur l'environnement, avec l'énergie qu'ils consomment et la chaleur qu'ils produisent.

prudence quant à son issue. Mais nous pouvons en définir les traits structurants, dont la connaissance est nécessaire à une conduite raisonnée dans ce nouveau paradigme.

La *première partie* définit ce qu'est une révolution industrielle, les particularités de l'iconomie et les changements qu'elle induit dans les modèles d'affaires des firmes. « *Play it again, Sam...* » expose les éléments de continuité et de rupture d'une révolution industrielle à l'autre. Les « *Éléments de théorie iconomique* » abordent l'iconomie comme l'idéal-type[8] d'une économie informatisée parvenu à maturité, afin de définir les conditions nécessaires de l'efficacité.

La *seconde partie* présente plusieurs cas de nouveaux modèles d'affaires qui illustrent le caractère révolutionnaire de l'iconomie. Celui de la ville intelligente : la *smart city* n'est-elle que la ville actuelle *plus* de l'informatique, des capteurs et des systèmes automatisés ou est-elle *autre chose*, ce qui suppose de concevoir autrement la ville et implique une évolution du management public ? Comme toute révolution industrielle, l'informatisation bouleverse les rapports de puissance et suscite une nouvelle géopolitique dans laquelle nous devons être capables de concevoir une stratégie d'influence. De nouvelles technologies font naître par ailleurs de nouvelles formes de criminalité, qui trouvent un soutien efficace dans la finance informatisée.

La *troisième partie* présente les nouveaux modèles d'affaires de l'iconomie, illustrés par le cas d'Alibaba. Qui dit nouveau modèle d'affaires dit stratégie de verrouillage par les normes, ce que nous illustrons par l'histoire du développement des langages de programmation informatique. D'apparence technique, les normes conditionnent le développement et le contrôle des marchés : un sujet d'actualité quand se négocie dans l'opacité le Traité transatlantique.

On conclut en ouvrant le débat sur les capacités de notre cher et vieux pays, la France, historiquement mal aimée de ses élites, à rester une grande puissance dans l'iconomie.

---

8 Un idéal-type, tel que défini par le sociologue Max Weber, est une abstraction de la réalité pour en décrire les grandes lignes. On peut ainsi décrire à grands traits « la bureaucratie », sans pour autant rencontrer ce phénomène dans la réalité, mais tout en étant exposé à ses conséquences.

PARTIE 1

Au fil du temps qui passe : permanences, ruptures, opportunités

SOMMAIRE

Chapitre 1

Play it again, Sam... Ruptures et continuités des révolutions industrielles

Claude Rochet

Sommaire

Walter Inge, doyen de la cathédrale Saint-Paul de Londres, écrivit en 1229 un récit de la création où il fait dire à Adam s'adressant à Ève, alors qu'ils sont chassés du paradis terrestre : « Je crois, ma chère, que nous vivons une époque de transition. » Il ne pouvait mieux dire : nous avons là une constante de l'histoire humaine depuis la Création.

L'emploi du terme de « révolution » technologique peut porter certains à penser et affirmer que nous vivons une rupture radicale, que plus rien ne sera comme avant, que ce qui arrive est unique dans l'histoire... et à se lancer dans la futurologie d'un monde merveilleux.

Ce chapitre veut s'efforcer de répondre aux questions qui entourent l'expression « révolution technologique » :

- Pourquoi une révolution arrive-t-elle ? Est-elle prévisible ? À quoi la reconnaît-on ?
- La propagation d'une révolution technologique suit-elle un schéma identifiable qui permettrait de l'orienter et de tirer le maximum de son potentiel ?
- Qu'est-ce qui est, finalement, vraiment révolutionnaire dans cette révolution ?
- Quelles stratégies, stratégies des entreprises et stratégie publique, pour qu'un pays puisse tirer profit de cette révolution ?

Nous disposons aujourd'hui d'un corpus de connaissances bien établies qui nous permet de répondre à ces questions, même s'il est superbement ignoré par les acteurs de la décision publique.

Ce corpus puise sa source dans l'histoire de l'économie depuis le début de l'époque moderne, qui a vu l'Europe passer de zone sinistrée au XVIe siècle, où l'essentiel de l'activité humaine consistait à se faire des guerres de toutes espèces – d'agression, de conquête, civiles, religieuses... – et où l'espérance de vie dépassait difficilement 40 ans, au continent le plus prospère du monde trois siècles plus tard, effaçant la supériorité technologique et politique de la Chine. Les grands noms sont ici Fernand Braudel, Jean Bouvier, Lucien Febvre, François Crouzet, François Caron pour la France et Patrick O'Brien, Chris Freeman, Joel Mokyr, Ronald Findlay, Kevin O'Rourke et David Landes (le seul qui soit quelque peu connu du public français pour avoir été traduit) pour le monde anglo-saxon.

La seconde source est l'histoire de la technologie et la compréhension de sa nature avec les travaux de Bertrand Gille, Maurice Daumas et Gilbert Simondon, pour ne citer que les pères fondateurs les plus connus.

La troisième est le progrès de la science économique, avec l'œuvre considérable de Schumpeter, qui a théorisé le développement de l'économie, poursuivie par l'école évolutionniste, dans la lignée de Richard Nelson aux États-Unis.

Ajoutons la théorie générale des systèmes, qui nous permet de comprendre comment les éléments que sont l'économie, la culture, la science, la technologie et l'État, ces composantes de la société, entrent en interactions pour former des nations en évolution où vont se succéder des phases d'équilibre et de déséquilibre, de stabilité et d'instabilité, de croissance et de déclin, qui sont autant d'opportunités d'initiatives et d'innovation.

Comprendre l'iconomie ne peut se faire sans l'inscrire dans ce développement historique, afin de parvenir à comprendre le lien et la complémentarité entre les grandes constantes des révolutions technologiques et d'éviter de naviguer entre le lyrisme des gourous de la technologie et les sceptiques du « finalement c'était mieux avant ».

Chris Freeman et Francisco Louça ont titré leurs ouvrages sur l'histoire des révolutions industrielle *As Time Goes By...* (au fil du temps), s'inspirant à la fois de Charles Péguy[1] et du film *Casablanca*, où le pianiste Sam chante « *As Time goes by fundamental things apply...* ». « *Play it again, Sam* », lui demande Humphrey Bogart pour illustrer ce retour de l'histoire...

1. Cycles et structure des révolutions technologiques

C'est le statisticien soviétique Kondratiev qui, le premier, a identifié le développement en cycles d'une durée de 40 à 60 ans, cycles qui ont la forme de courbes en S avec une période de maturation, d'expansion, de déploiement et de déclin. Schumpeter est parti des travaux de Kondratiev pour établir sa théorie des cycles d'affaires basés sur des vagues d'innovation successives qui se déploient en grappes, associées à un processus de destruction créatrice, soit la disparition des activités basées sur des technologies et des compétences obsolètes et la création de nouvelles activités. Schumpeter analyse le capitalisme comme un processus évolutionniste régi par la turbulence et l'incertitude, remettant en cause les structures établies, depuis les modes de production au niveau de la firme jusqu'aux consensus sociaux – comme l'a montré l'historien Eric Hobsbawm – et aux structures familiales et sociales, dont les mutations s'étendent bien au-delà de la révolution industrielle elle-même. Il converge ici avec Karl Marx, qui a bien cerné le caractère révolutionnaire du capitalisme, qui a constamment besoin de bouleverser les structures sociales pour créer de nouvelles dynamiques de production de la richesse. Schumpeter est décédé en 1950 et n'a donc connu que la phase de déploiement de la deuxième révolution industrielle, celle qui allait donner naissance aux trente glorieuses.

Carlota Perez, disciple de Chris Freeman et aujourd'hui professeure à l'Université technologique de Tallinn, qui regroupe et anime l'École néoschumpétérienne, a établi l'analyse la plus précise des cycles technologiques schumpétériens. Elle identifie à ce jour cinq cycles de 40 à 60 ans depuis la première révolution industrielle, deux cycles formant une révolution industrielle, la première fondée sur la mécanisation, la seconde fondée sur les avancées scientifiques dans le domaine de l'électricité et de la chimie et donnant naissance à la grande entreprise, et la troisième fondée sur l'informatique et le numérique, dont la nature est précisément l'objet de cet ouvrage.

Chaque cycle suit une dynamique en cinq phases (Figure 1.1) :

– Une phase d'**invention**, qui voit l'invention de laboratoire passer de la preuve du concept au prototype et aux premières applications.

– Le passage de l'invention à l'innovation est l'**irruption** sur le marché, quand la technologie est mature. Pour la première révolution industrielle, qui n'est pas basée sur des percées scientifiques mais des améliorations incrémentales, la période de maturation est plus lente et remonte à l'essor agricole de l'Angleterre au XVIe siècle, qui a libéré de la main-d'œuvre et assuré la croissance de la population.

---

1 « *Quand on a dit que le temps passe, dit l'histoire, tout est dit* », *Clio*, 1932.

– Le déploiement en tornade, ou phase de **frénésie**, qui voit la nouvelle technologie devenir « technologie générique », bouleverser l'ensemble des économies et mettre en cause le système de régulation du cycle précédent.

– Le **déploiement** sur l'ensemble de l'économie est une phase d'**expansion** qui donne naissance à un « nouveau paradigme techno-économique » qui, au-delà de la technologie, inclut organisation de la firme et évolution des institutions.

– La **maturité** et les dernières applications de la technologie, qui rentrent dans des zones à rendements de moins en moins croissants.

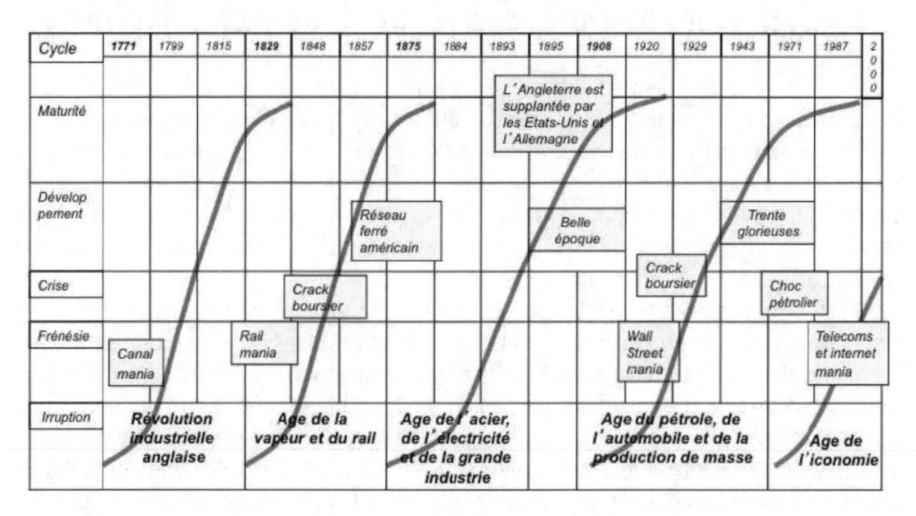

Figure 1.1 — Les cinq étapes d'un cycle technologique, selon Carlota Perez

Au point d'inflexion de la courbe en S, survient une crise qui a pour cause le divorce entre le capital financier et le capital productif. Au début de la phase de frénésie, tout va bien entre eux : le capital financier cherche à s'investir dans de nouvelles activités et la nouvelle vague technologique a besoin d'investisseurs. Mais l'on sait depuis 1720[2] que le capital financier est exubérant et irrationnel. Il en fait promettre trop à l'économie réelle, au point d'en devenir une manie compulsive. La première crise de l'époque industrielle est celle des canaux, la *canal mania* en 1799, en Angleterre. Tout le monde voulait son canal à péage pour profiter de l'essor des transports. Tous les cycles technologiques ont eu leur manie. La figure 1 trace cette évolution ponctuée par des crises.

Nous sommes donc actuellement dans la période de crise de l'iconomie, auquelle le capital financier à trop fait promettre dans les années 1990, débouchant sur la crise du NASDAQ en 2001. Le capital financier, profitant des technologies de l'information qui permettent, entre autres, le *trading* haute fréquence, est devenu un système coupé de l'économie réelle, dont l'irrationalité a produit la crise financière de 2008, dans laquelle nous sommes toujours plongés.

2 La crise de la Compagnie des Mers du Sud à Londres – qui avait eu la riche idée de « titriser » la dette publique devenue objet de spéculation – et son pendant à Paris, la faillite de la Compagnie du Mississippi.

Ce schéma est-il fatal ?

L'histoire économique nous apprend que ces crises sont de deux ordres : les crises structurelles d'ajustement sont des crises qui font partie de l'évolution normale des systèmes complexes. C'est le processus de « destruction créatrice » décrit par Schumpeter[3] : à une vague technologique est associée un système de production, une organisation sociale, une régulation par des institutions. Le changement technologique met ce système en déséquilibre. Pour Schumpeter, Walras était un économiste du statique, alors que lui se situait comme un économiste de la dynamique qui sépare les phases de statique. L'économie n'est pas un état stable, mais une succession d'états stables séparés par des périodes de rupture qui sont liées aux phases d'innovation. Dans sa *Théorie de l'évolution économique* (1911), Schumpeter souligne cette continuité entre changement incrémental et rupture : « *Si toute évolution se poursuit d'une façon continue et ininterrompue, est-ce qu'elle ressemble au développement progressif, organique d'un arbre dans son tronc et sa frondaison ? L'expérience répond négativement à cette question.* » L'histoire humaine est un processus dynamique fait de phases d'amélioration incrémentale, jusqu'au moment où la complexité créée par l'augmentation du nombre de variables et de leurs interactions rend nécessaire la construction d'un ordre supérieur de complexité, un nouveau métasystème de coordination. Il y a alors *mutation* et non plus simple *adaptation*. La théorie évolutionniste s'est construite par analogie avec la théorie darwinienne de l'évolution, qui distingue les adaptations, qui sont de l'ordre du *somatique*, des mutations, qui sont de l'ordre du *génétique*. Le nouveau ne sort pas de l'ancien, mais sa genèse s'inscrit dans une continuité historique qui est celle des schémas d'apprentissage, le *sentier technologique*.

Le développement de la recherche en économie a donné naissance à l'économie évolutionniste : l'économie n'est pas un processus déterministe, dont l'issue est fixée à l'avance, mais évolue en interaction avec son environnement. Elle le façonne autant qu'elle est façonnée par lui. Ce processus est stochastique[4] : il est guidé par le hasard et il se stabilise quand il a trouvé un équilibre satisfaisant. Dans la propagation de l'innovation, un intrant (la nouvelle technologie) vient bouleverser l'équilibre du système, qui va essayer une multitude de combinaisons de manière aléatoire (et donc accroître son désordre), tout en cherchant et sélectionnant les solutions les plus stables (créer un nouveau principe d'ordre). Ce sont les lois de l'évolution qui sont en œuvre, et les principes de sélection sont ceux qui garantiront au système technique sa stabilité et au système économique sa profitabilité : il s'agit non seulement de principes de robustesse technique, mais aussi de cohérence sociale et politique, car les révolutions technologiques ne transforment pas seulement les processus de production, mais l'ensemble des rapports sociaux.

---

3 Qui n'a rien à voir avec le darwinisme social cher aux néolibéraux. Comme l'a relevé Raymond Aron, les libéraux ont ceci de commun avec les marxistes qu'ils croient qu'il existe un ordre préétabli, pour les uns défini par l'équilibre général de la nature et du marché, et pour les autres défini par « la fin de l'histoire ».

4 Stochastique : capacité à atteindre un but par la génération aléatoire d'une multitude de possibilités. En pratique, il s'agit de plusieurs processus stochastiques convergents, car les conditions initiales ne sont pas stables, elles sont elles-mêmes modifiées par les impacts de l'intrant clé. Une technologie va modifier des modes de production, d'organisation et de relations sociales, qui vont à leur tour créer – ou non – les conditions pour le développement de telle ou telle technologie.

Ce processus stochastique n'est pas totalement aléatoire : il devient assez vite déterministe, par un certain nombre d'options prises en amont qui sont d'ordre culturel et structurel. Paul David (1992) a étudié l'apparition du choix du clavier QWERTY, qui est le résultat d'arbitrages culturels étrangers à la technologie, qui donnent un produit dont la valeur est sans rapport avec l'optimum de Pareto. Le processus se stabilise quand il parvient à un état de « *lock-in* » (verrouillage), qui le met à l'abri de la concurrence. Bill Gates est parfois surnommé « *The Lord of Lock-in* » par ceux qui l'accusent d'avoir, à travers Windows et son alliance avec Intel, enfermé le PC dans une architecture sous-optimale.

L'historien britannique Eric Hobsbawm a montré que les conflits sociaux émergeaient à la fin de longues phases de développement des cycles et qu'il y avait des « conflits en grappes », comme des « innovations en grappes ». Freeman et Louça identifient en fait deux points critiques : l'un à la fin de la phase d'expansion, lorsque les travailleurs disposent d'organisations puissantes et que le plein-emploi donne des marges de manœuvre. La dernière grande vague de ce type se situe autour de 1968. Les travailleurs veulent obtenir les gains d'une productivité croissante, tandis que les entrepreneurs veulent conserver des marges d'investissements face au déclin de la profitabilité. L'autre point critique se situe à la phase d'ajustement entre l'ancien et le nouveau paradigme techno-économique, quand le cycle entre en phase de récession, avec croissance rapide du chômage et développement de l'insécurité de l'emploi, comme en 1974-1975 et autour de 1983.

Plus globalement, un changement technologique est un changement social : « *la technologie construit le social* », souligne François Caron (1997). Le principe d'interdépendance générale défini par Leontief en 1939 modifie la structure des échanges interindustriels et met l'économie en état d'instabilité structurelle. La modification des qualifications, le processus de destruction créatrice qui s'applique aux emplois, la course à la réduction des coûts dans les activités de main-d'œuvre dans un contexte d'ouverture des frontières et les délocalisations qu'il permet, vont faire passer le système de l'instabilité à la turbulence.

Les crises financières sont de nature différente : le déséquilibre n'est pas créé par un ajustement interne mais par la prise du pouvoir du système financier sur l'ensemble du système économique. Carlota Perez relève qu'à chaque cycle, les nouvelles technologies ont d'abord profité au capital financier, qui les a mises à profit pour asseoir son pouvoir. La crise argentine de 1890 est ainsi largement le fruit du développement du télégraphe, qui a été le carburant de la spéculation. Ces nouveaux moyens de communication, en connectant, à l'ère de l'Internet, tout avec tout créent une complexité que nul n'est capable de maîtriser. Ces crises financières, ces « paniques », sont d'ailleurs beaucoup plus fréquentes que les crises d'ajustement technologique : elles ont lieu à peu près tous les dix ans. C'est quand la crise financière entre en résonance avec la crise technologique que se produit une crise systémique globale, comme celle de 1929-1931 et de 2008. Ces crises sont en théorie plus faciles à résoudre, puisqu'il s'agit de reprendre son pouvoir au capital financier. Et en pratique aussi, puisque que chaque sortie de crise a vu le système financier remis au service de la production par l'État[5].

---

5 Il est aussi surprenant qu'intéressant de voir que tous ces éléments d'analyse sont présents dans les débats qui suivent en Angleterre la crise de la Compagnie des Mers du Sud de 1720. Tous les éléments du conflit entre économie réelle et économie financière et de son rôle corrupteur y sont posés de façon singulièrement actuelle, nonobstant l'apparition d'Internet, mais qui ne

2. Piloter dans l'incertitude

Si, donc, le déséquilibre est dans l'ordre des choses, il convient de se demander si l'on peut ramener le système à l'équilibre – où le réguler *ex ante* pour éviter les crises –, par une action volontaire. On est ici amené à se frayer une voie entre le positivisme, qui postule que la raison abstraite est toute puissante pour définir un ordre parfait, et un libéralisme qui ferait confiance à la « main invisible[6] » du marché, qui laisserait l'équilibre se rétablir naturellement.

L'approche évolutionniste permet d'éviter ces deux écueils. En analysant les trajectoires des sociétés comme des dynamiques de systèmes complexes, Freeman et Louçà, et plus particulièrement Carlota Perez, dans le prolongement de l'école évolutionniste, analysent l'histoire du développement comme l'interaction de cinq sous-systèmes. Chaque sous-système (politique, social, économique, technologique, culturel) est semi-autonome et évolue selon des cycles spécifiques, tout en rétroagissant sur les autres pour permettre l'émergence du métasystème qu'est la société, la nation (figure 1.2). Son développement est le produit de l'interaction entre ces cinq sous-systèmes, qui va produire un système global plus ou moins cohérent, résilient et capable d'évolution. *L'histoire du développement est celle de ces processus de coordination.* Il ne peut être défini par des lois déterministes mais résulte de processus heuristiques, suite d'hypothèses et de scénarios testés par essais et erreurs. La dynamique de chaque sous-système compte donc autant que la coordination de leur évolution pour donner naissance au système global[7].

De la qualité des interactions va donc découler la compétitivité de la nation. Ces interactions évoluent dans des espaces de phases qui déterminent le *sentier technologique* : dès lors, c'est le processus de coordination lui-même qui est la variable essentielle pour comprendre la trajectoire, les crises exprimant le manque de synchronicité.

On peut comparer cette dynamique à la gastronomie (qui vient, rappelons-le, des régions pauvres où la richesse doit être recherchée dans l'art d'accommoder les plats plus que dans la quantité). Il faut cinq ingrédients :

– la *science* est l'ingrédient indispensable depuis la deuxième révolution industrielle. Ce sont les percées scientifiques qui donnent naissance aux technologies génériques.

– David Landes, dans son ouvrage fameux *Richesse et pauvreté des nations*, a souligné l'importance de la *culture* dans sa double capacité à accueillir le changement

---

fait qu'amplifier les phénomènes. Voir Pocock, J.G.A, *The Machiavellian Moment, Florentine Political Thought and the Atlantic Republican Tradition*, Princeton University Press, 1975 (seconde édition 2003).

6 Rappelons que cette histoire de « main invisible » est improprement attribuée à Adam Smith, qui ne lui a aucunement donné le sens attribué par les libéraux. Voir *L'innovation, une affaire d'État*, Rochet, 2014.

7 Cette approche est déjà présente chez Fernand Braudel : « Toute société dense se décompose en plusieurs "ensembles" : l'économique, le politique, le culturel, le social hiérarchique. L'économique ne se comprendra qu'en liaison avec les autres "ensembles", s'y dispersant mais ouvrant ses portes aux voisins. Il y a action et interaction. Cette forme particulière et partielle de l'économique qu'est le capitalisme ne s'expliquera pleinement qu'à la lumière de ces voisinages et de ces empiètements ; il achèvera d'y prendre son vrai visage. » *La Dynamique du capitalisme*, Flammarion, Champs, 1985, p. 67-68.

et à transformer la connaissance scientifique en connaissance utile, selon l'expression de Joel Mokyr, de la connaissance pratique.

– La *technologie* est la capacité à fabriquer des artefacts à partir de la science,

– et cela est rendu possible par l'*économie*, qui assure la rencontre de l'invention et du marché : l'innovation.

– Cette coordination est tributaire du cadre *politique* qui, d'une part, peut entreprendre une action volontaire pour stimuler cette dynamique et, d'autre part, fixer des règles du jeu – les institutions – pour stimuler les interactions entre ces sous-systèmes.

La gastronomie ne se fait ni en additionnant, ni en mélangeant les ingrédients dans le désordre, ni en suivant à la lettre le livre de recettes. Elle se fait en essayant, en goûtant, en ajustant, en rectifiant, en s'adaptant, en fonction des ingrédients disponibles dans un contexte donné, des goûts des convives et de l'inspiration du cuisinier.

L'économie standard néoclassique ignore ces leçons de la gastronomie. Elle prétend définir des recettes universelles afin de cuisinier sans inspiration pour un convive standardisé. Elle donne une importance décisive à l'économie dont elle a une vue figée et quantitative, en prétendant lui soumettre toutes les autres composantes. Elle ne fait pas de différence entre les activités, qui sont censées toutes se valoir, de même que les territoires. Elle ignore les spécialités régionales, ses plats sont inodores et sans saveur, son pain est sans levain et ses soufflés ne montent pas. Par la tyrannie de la recette, de la « bonne pratique » universelle, elle tue les talents culinaires qui sont la base de l'innovation.

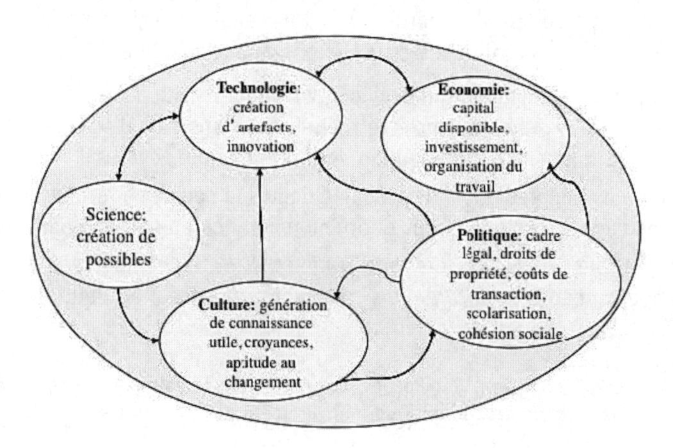

Figure 1.2 — L'évolution des sociétés comme interaction de cinq sous-systèmes

3. Les éléments récurrents des révolutions technologiques

« *On ne se baigne pas deux fois dans le même fleuve* », disait Héraclite. Ce n'est pas le même bain, même si c'est dans le même fleuve, à long terme. Mais, à court terme, son comportement peut changer et brutalement : crues, sécheresse, pollution... Le fleuve ne sera jamais la même et le baigneur dans le même état, mais on peut identifier des configurations – nommées « *patterns* » en anglais – que l'on peut modéliser. Modéliser veut dire que l'on peut abstraire des représentations de comportements en dehors de tout contexte. Ce modèle permettra d'avoir une vue d'ensemble sur les configurations possibles, les modèles opérationnels pouvant être compris et conçus en chargeant les variables de contexte.

Cela ne rend pas pour autant le modèle *prévisible*, comme le pensent les économistes néoclassiques avec leurs modèles mathématiques qui prétendent tout expliquer, tout comprendre et tout prévoir. Cela le rend *prédictible* : on sait quelles configurations peuvent prendre une situation, mais cela reste un processus stochastique qui va combiner une multitude de possibilités : si on peut formuler des *hypothèses* quant au résultat, il n'y a aucune certitude.

Il n'y a pas de « lois » déterministes en histoire, pas plus qu'en économie, qui est une science sociale et non une science exacte. C'est le grand apport de Karl Popper à l'épistémologie du XXe siècle que d'avoir mis à bas le culte du déterminisme et de la toute-puissance de la raison humaine, en montrant que le progrès est une suite de résolutions de problèmes qui mènent à des niveaux de vérité de plus en plus satisfaisants pour comprendre la réalité, mais que tout problème résolu amène un problème plus complexe, qui appelle la poursuite du cycle d'apprentissage.

La réduction de l'économie à l'économie financière ne peut expliquer, ni encore moins avoir prise sur des phénomènes comme la démographie, le changement dans l'organisation de la firme et des industries, le progrès technique et sa diffusion, les dynamiques des différents systèmes nationaux d'innovation et le rôle si critique de la culture, de la géographie jusqu'à la géopolitique. Le concept aujourd'hui invoqué d'*économie du savoir* n'a en pratique rien de nouveau, la connaissance et les capacités d'apprentissage ayant en fait toujours été les principaux facteurs explicatifs de la croissance économique. Pour l'économiste Moses Abramovitz (1952) qui, avant Robert Solow, a défini la technologie comme « la mesure de notre ignorance »[8], « *l'économie du développement est donc le champ de travail où la dépendance de l'économie à l'égard des sciences sociales sœurs apparaît de la manière la plus flagrante* ».

Ce processus est cumulatif, les structures sociales sont des flux et non des états stables et notre objectif doit être d'identifier, par l'analyse historique, des régularités qui nous permettent de comprendre les fluctuations à long terme des

8 Il a calculé en 1956, avant que Robert Solow ne popularise son fameux « résidu », que la croissance n'était due que pour 10 à 20 % à l'accumulation du capital et du travail, et essentiellement à ce qu'il a appelé les « capacités sociales », qualifiées de « mesure de notre ignorance ». C'est la clarification de cette ignorance qui est à la base de la compréhension de la dynamique de l'innovation et du développement.

cycles de développement. La conclusion d'Abramovitz de 1952 reste d'une actualité étonnante :

> *« L'étude de la croissance économique, donc, est plus proche de l'histoire que tout autre sujet. L'étude du passé, y compris du passé lointain, ne nous fournira pas seulement la masse de données nécessaires, mais il semble improbable que, pour le futur prévisible, l'économie de la croissance puisse être beaucoup plus que l'histoire économique rationalisée ici et là dans la limite où des régularités dans le processus de développement ont été identifiées. (...)*
>
> *Le travail de recherche des régularités dans la variété du changement historique et dans les différences nationales a à peine commencé. Les économistes ont jusqu'alors préféré le travail plus facile de recherche des implications obligatoires de prémices choisies arbitrairement. L'étude des fondations politiques, psychologiques et sociologiques de la vie politique a été encore plus négligée. Les économistes ont préféré cultiver une science de l'avantage pécuniaire. (...) Si l'histoire de la croissance atteint le rang qu'elle doit avoir dans l'étude de notre sujet, nous devrions espérer voir l'histoire, la géographie, la psychologie et la sociologie prendre à l'avenir une place proéminente dans la formation des économistes. »*[9]

Pour autant, on ne peut suivre Popper quand il conclut que toute action intentionnelle est impossible, en raison de ses effets contre-productifs[10]. L'histoire montre au contraire que les sociétés humaines peuvent agir en fonction d'un but aux conséquences évaluables, ce qui ne veut pas dire qu'elles le font et savent le faire. La compréhension des *patterns* d'évolution doit porter autant sur les conséquences inattendues qu'attendues. Un système connaît une croissance stable quand il parvient à synchroniser l'évolution de ses cinq sous-systèmes, ce qui fut le cas de la période de développement de la seconde révolution industrielle, dite des Trente glorieuses. Quand le cycle se termine, le processus perd sa synchronicité.

La tâche du politique, du stratège, de l'entrepreneur et de tout responsable est alors de chercher à comprendre comment cette synchronicité était assurée par le passé, pourquoi elle ne l'est plus dans le présent et comment la rétablir. S'il n'y a pas de lois en histoire, il y a des caractéristiques fondamentales, que l'étude de l'histoire économique permet de comprendre.

L'analyse historique fait apparaître quatre phénomènes récurrents :

1. La diffusion de l'innovation par grappes (les *clusters* d'innovation), à partir d'une technologie générique qui offre une supériorité sans discussion sur les anciennes technologies. « Ce n'est pas en améliorant la bougie qu'on a inventé l'électricité » : l'électricité fut une innovation de rupture qui révolutionna la productivité, la rentabilité, l'organisation du travail et les qualifications. Il n'est pas évident de savoir, dès la naissance d'une nouvelle technologie, qu'elle est générique et va donner naissance à une grappe d'innovations. Jusqu'à l'invention du microprocesseur en 1971, qui va permettre l'expansion de l'industrie informatique, les grands acteurs du secteur comme IBM n'y voyaient pas d'avenir. C'est une constante de l'histoire que les initiateurs, innovateurs ou théoriciens des révolutions technologiques ont fait preuve d'une

9 Abramovitz, Moses, *"Economics of Growth", in Thinking about growth and other essays on economic growth and welfare*, 1952 (1990), Cambridge University Press.

10 Il est sans doute influencé ici par Friedrich Hayek, envers qui il était redevable de sa situation académique. Popper était un épistémologue, pas un philosophe politique.

cécité systématique face aux possibilités de ces révolutions. Adam Smith était loin du compte avec sa description de la division du travail dans sa fabrique d'épingle, qui permettait pourtant de passer de la fabrication d'une à 4800 épingles par jour et par travailleur. Jean-Baptiste Say, fondateur de l'école libérale française, écrivait en 1828 : « *Nulle machine ne fera jamais, comme le plus mauvais des chevaux, le service de voiturer les personnes et les marchandises au milieu de la foule et des embarras d'une grande ville.* »[11] J. Watson, président d'IBM en 1945, ne voyait aucun avenir à l'ordinateur, les besoins en puissance de calcul des États-Unis étant alors satisfaits par la petite dizaine d'ordinateurs existants. Tous raisonnaient au regard du paradigme dominant. La naissance du nouveau paradigme n'est clairement perçue qu'avec la phase d'irruption.

À l'inverse, des technologies auxquelles on a fait beaucoup promettre, comme le nucléaire, ne seront pas des technologies génériques car on imagine mal leur déploiement en applications domestiques et industrielles généralisées et leur coût, loin de baisser, révèle des coûts cachés, notamment liés au recyclage.

2. Des crises structurelles d'ajustement, qui vont émerger à l'issue de la phase de frénésie, comme vu plus haut (Figure 1.1). La vague d'innovation va entraîner un changement de structure dans les modes de production, les systèmes de management et les qualifications. On vit ainsi à chaque cycle une progression du chômage dans les pays industriels les plus avancés, aux XIXe et XXe siècles. Plus les pays sont industrialisés, plus la crise d'ajustement est forte, avec son cortège de conflits sociaux.

3. Les changements de paradigme techno-économiques identifiés par Carlota Perez sont en fait des changements complets des systèmes de régulation, au sens fort du mot « régulation » en français, qu'il faut distinguer du « *regulation* » anglais, qui signifie plutôt un ajustement à la marge. Ce changement sollicite la capacité du métasystème sociopolitique à gérer la congruence de ses sous-systèmes (Figure 1.2). Moses Abramovitz, dans son analyse qui fait référence (« *Forging ahead, Catching up or Lagging behind* ») voit dans les *capacités sociales* le facteurs déterminants pour piloter ces dynamiques de congruence qui vont déterminer les trajectoires des nations : être sur la frontière technologique, rattraper ou décliner. Chaque révolution technologique a vu changer le *leadership* mondial, les nations dominantes ayant plus de difficultés à faire évoluer leur système de régulation que les nations émergentes, qui ont plus de souplesse institutionnelle et sociale dès lors qu'elles se donnent la possibilité de capter la technologie des pays *leaders*[12].

4. L'émergence de grandes entreprises est une des caractéristiques les plus importantes, par le rôle qu'elles jouent comme acteur non gouvernemental pour dessiner la nouvelle architecture institutionnelle. C'est la « main visible » du management, selon l'expression d'Alfred Chandler. L'iconomie n'y a pas échappé, nonobstant le lyrisme des années 1990, qui annonçait un monde libertaire sans acteur dominant, qu'il s'agisse de l'État ou de la grande entreprise. L'iconomie est aujourd'hui dominée par quatre grandes entreprises, les GAFA : Google, Apple, Facebook, Amazon, qui pèsent à elles seules autant que le CAC 40. Avant la première révolution industrielle, il s'agissait des grandes compagnies de commerce, dont Adam Smith critiquait

---

11 Cité par Fernand Braudel, *Civilisation matérielle et capitalisme*, t. 3, p. 466.

12 Voir Rochet, Claude, *L'Innovation, une affaire d'État*, L'Harmattan, 2007.

la malfaisance en ce qu'elles bloquaient l'innovation pour protéger leurs rentes. Le progrès du capitalisme a toujours reposé sur la destruction des monopoles, du Sherman Act de 1890 aux États-Unis à la décision de la Cour suprême de 1971 obligeant IBM à séparer son activité logicielle de la fabrication des machines, ce qui a permis l'essor de l'industrie du logiciel. Le démantèlement de Google est aujourd'hui à l'ordre du jour, pour les mêmes raisons.

Mais le point le plus controversé est celui de la continuité des grandes firmes, d'une révolution industrielle à l'autre. En 1890, Alfred Marshall avait formulé la théorie de l'arbre : les grandes firmes pousseraient jusqu'à un point limite où elles mourraient, et la forêt se verrait remplacée par des jeunes pousses. Quand Schumpeter a formulé sa théorie de la « destruction créatrice », il l'appliquait aux technologies, pas aux firmes. Celles-ci ont manifesté des capacités surprenantes de résilience en réinventant leurs modèles d'affaires et leurs systèmes de production, tandis que d'autres n'ont pu le faire et ont disparu. Le cas de Saint-Gobain fait référence : une société créée au XVIIe siècle, qui n'a plus aucune implantation dans la forêt de Saint-Gobain mais finance un important travail de collation d'archives pour faire le lien entre la « vieille » technologie et la nouvelle, bien consciente qu'une firme n'évolue pas au gré des circonstances mais parce qu'elle est porteuse d'une culture qui structure ses capacités d'apprentissage, lui permettant ainsi d'absorber les technologies génériques et de se réinventer.

4. Innover : les clés du succès

La question qui se pose dès lors est de savoir ce qui est constant dans la dynamique de l'innovation depuis le début de l'ère industrielle, et ce qui est spécifique à l'iconomie. Cette question étant traitée de manière approfondie par Michel Volle dans le chapitre suivant, nous nous en tiendrons ici aux traits les plus saillants.

David Landes a montré que le principal facteur de différenciation entre les économies depuis le XVIIe siècle est la **culture** au sens large, soit non seulement les aptitudes, mais aussi la qualité des institutions, qui fait qu'à partir d'une même opportunité technologique, certains pays décollent et d'autres stagnent ou régressent (Landes, 2000). De quelle culture avons-nous besoin pour affronter avec succès ces nouveaux défis ?

Ce qui est sans doute spécifique aux technologies de l'information, c'est leur absence de visibilité commerciale, puisqu'elles ne peuvent créer de la valeur ajoutée que par combinaison entre elles, une transformation des processus et des organisations et l'intégration dans des produits complexes. Le phénomène d'« innovation en grappes » décrit par Schumpeter au début du XXe siècle est sans doute encore plus vrai un siècle plus tard.

Pour rendre plus visibles ces dynamiques d'innovation, il faut plonger dans les couches profondes des organisations et des systèmes nationaux d'innovation. Il s'agit en premier lieu de comprendre le phénomène de « dépendance de sentier », qu'il ne faudrait pas interpréter comme « *continuer à faire ce que l'on sait faire* » – combien d'erreurs de stratégie ont été faites au nom du « *revenons à notre cœur de métier* » – mais plutôt comme « *comprendre ce que l'on peut faire* ». Le sentier technologique d'une firme est constitué de trois couches de connaissances (Pisano, 2002) :

– la connaissance technique de base, qui est autant explicite (théories, algorithmes, brevets, publications...) que tacite (savoir-faire, expérience acquise) ;

– la connaissance organisationnelle, qui traite de l'organisation des projets, des pratiques de résolution des problèmes, de la gestion des compétences ;

– l'intégration des technologies nouvelles aux technologies existantes, qui doit permettre de concilier l'introduction de la nouveauté et la viabilité des systèmes que maîtrise la firme.

L'entreprise progresse sur son sentier technologique par apprentissage par projets : ce qu'elle sait aujourd'hui est fonction de ce qu'elle a appris hier. Au fil des générations de projets, la connaissance technique nourrit la connaissance organisationnelle, qui nourrit elle-même le savoir-faire en intégrant de nouvelles technologies.

Mais cette approche inductive (le *learning by doing*) doit, selon Pisano, être complétée par une approche déductive (le *learning before doing*). L'historien de la technologie Joel Mokyr a montré que la technologie, en tant que capacité humaine à manipuler la nature, ne peut naître qu'à partir d'une base de connaissance efficace : la première révolution industrielle n'a pu avoir lieu (alors que le principe de la machine à vapeur était connu depuis l'antiquité) que parce que la philosophie des Lumières avait créé les conditions culturelles et institutionnelles pour le développement des technologies : le refus du travail servile d'une part et, d'autre part, un faisceau de micro-inventions dans la métallurgie et le tissage ont permis de reculer les limites du possible.

Le développement de la technologie est comparable à un système évolutif en biologie (Mokyr, 2002) : la connaissance est un génotype, une potentialité, tandis que la technologie est un phénotype, une entité créée. Mais, à la différence des systèmes biologiques darwiniens, l'expérience de la technologie (le phénotype) modifie la base de connaissance efficace (le génotype). Quand la connaissance efficace nécessaire à la mise en œuvre d'une technologie devient complexe, l'apprentissage inductif apporté par l'expérience ne suffit plus : le *feedback* renvoyé par les problèmes non résolus induit une mutation de la base de connaissance, qui requiert un apport et un apprentissage déductif.

C'est la qualité de l'interaction entre les approches déductives et inductives qui va donc être la clé de la performance. Elle est tributaire de conditions institutionnelles (permissions et incitations données aux divers agents – par exemple le chercheur et l'ingénieur – d'interagir) et culturelles (ouverture au changement, niveau d'éducation, qualité des consensus sociaux).

Pour l'économie dominante, la croissance est *exogène*, c'est-à-dire que la technologie est traitée comme extérieure au système productif et universellement mobile. L'approche évolutionniste, au contraire, traite la technologie et le développement comme *endogènes*, comme le produit de processus spécifiques au contexte, dépendant d'une culture et d'un climat intellectuel et institutionnel favorable à l'innovation. Dans le premier cas, la recette est simple : accéder à la technologie, définir des droits de propriété qui garantissent à l'innovateur la propriété de la connaissance qu'il produit, le rendement social de la connaissance produite étant supérieur à son rendement privé. L'économie évolutionniste montre au contraire que la rentabilité de la production de connaissance est de loin inférieure à un optimum économique. Joel Mokyr définit la technologie comme étant avant tout de la connaissance, du *logos*, et non de la seule *techné* : la clé du développement est dans les facteurs immatériels qui sont, au contraire des techniques, peu mobiles et dépendants du contexte.

L'économie standard ne fait pas de différence entre les activités économiques et ignore le principe des rendements croissants, liés aux synergies qui se créent entre activités. Le rendement des activités de recherche et de développement sera donc très différent selon les activités. Plus un investissement en R&D sera loin de la phase de maturité du marché, plus sa rentabilité sera hasardeuse. D'une part, l'innovateur est celui qui sait flairer et faire des paris sur les activités de demain ; d'autre part, des politiques publiques de soutien à l'innovation sont nécessaires pour pallier l'aversion du marché à la prise de risque dans l'innovation.

L'iconomie met en relief des traits anciens de l'innovation qui sont aujourd'hui critiques, comme l'implication de l'utilisateur dans le processus de développement. L'historien de l'innovation François Caron voit dans cette interaction entre le concepteur et l'utilisateur un des points forts de la sidérurgie européenne aux XIXe et XXe siècles, alors qu'aux États-Unis la structure oligopolistique du secteur en a ralenti le développement en bloquant l'innovation. Cette dimension a été occultée par l'organisation verticale de la firme à l'ère de la production de masse, mais revient très clairement à l'ordre du jour aujourd'hui. Eric Von Hippel (1987) a mis en avant la prééminence du rôle de l'utilisateur dans l'innovation, quel que soit le secteur. La rapidité de communication qu'offre l'iconomie et la possibilité d'organisation de réseaux horizontaux non hiérarchiques font de l'utilisateur un acteur critique de l'innovation[13].

5. Quelles politiques ?

Réussir dans l'iconomie repose donc sur des principes qui valent autant au niveau de la firme que de l'État et des politiques publiques :

- Le contexte, l'histoire, le territoire, les actifs matériels et immatériels comptent, associés à la compréhension des principes du développement, du rôle de l'industrie et de la dynamique des rendements croissants, ainsi que de la diffusion de la connaissance.

- Les externalités et les impacts de l'invention, puis de l'innovation, contrairement à la théorie dominante, se diffusent de manière non prédictible. La compréhension du caractère générique d'une technologie n'est pas immédiate et est en elle-même un processus d'apprentissage.

- Toute politique économique réussie a toujours consisté à faire le lien entre des théories générales assez simples et des réalités locales complexes et désordonnées.

13 Eric Von Hippel, *The Sources of Innovation*, OUP, 1987. L'iconomie et les technologies numériques accroissent la rapidité du cycle d'apprentissage par interaction entre la conception et l'usage, mais, souligne François Caron, cette interaction a toujours été, depuis le début de l'ère industrielle, un facteur clé du succès de l'innovation, quel que soit le secteur.

Elle ne se prête pas aux recettes à taille unique du « *one size fits all* » promues par les organisations internationales.

- Les opportunités d'innovation liées au développement de la connaissance ne sont pas également réparties par la supposée « main invisible » du marché, mais interviennent dans - et sont le fruit - des phases de déséquilibres qui produisent un développement inégal. Savoir capter ces opportunités, tel est l'objectif de la politique, comme l'a montré Erik Reinert dans ses recherches exhaustives sur l'histoire du développement depuis le XVIe siècle[14].

L'iconomie, au-delà de ses nombreuses spécificités qu'expose Michel Volle, et qui font que les règles du jeu et les politiques du paradigme techno-économique de la révolution industrielle précédente ne s'appliquent plus, s'inscrit dans une dynamique générale de l'évolution industrielle qui obéit à des principes constants.

Un de ces principes essentiels, qui divise économie standard et économie évolutionniste, est le rôle de l'État et de son interaction avec les grands acteurs économiques pour façonner le monde qui vient, ce que soulignait déjà Adam Smith, malgré la déformation dont sa pensée a été l'objet. Ce rôle se traduit par une intervention à bon escient, qui peut prendre diverses formes, illustrée par l'expérience des pays asiatiques[15] :

- Le Japon a protégé la naissance de son industrie automobile en interdisant aux firmes américaines de s'y implanter et d'y définir leurs standards de production, puis en la mettant sous protection tarifaire. Portée par la protection du marché intérieur, l'industrie automobile japonaise a développé de manière endogène un mode de production lui permettant d'être rentable sur son marché étroit. Cette innovation organisationnelle est devenue une technologie générique, devenue à son tour un standard pour l'industrie automobile mondiale.

- L'industrie électronique de Taïwan est le fruit d'une politique gouvernementale en trois volets : premièrement, la création d'une industrie électronique par des agences gouvernementales plutôt que par des subventions à des firmes privées, jusqu'à ce qu'elle atteigne une maturité commerciale et technologique lui permettant d'être transférée à l'entreprise privée. Deuxièmement, la stratégie gouvernementale fut de s'orienter vers des produits spécialisés, les microprocesseurs sur mesure, ce qui a permis de développer de nombreuses retombées. Troisièmement, le gouvernement a attiré des multinationales comme Philips dans des *joint-ventures* avec des entreprises taïwanaises de semi-conducteurs, ce qui a permis au pays de développer l'industrie la plus performante en Asie, en dehors du Japon.

- Singapour, cité-État, a été parmi les premières à cibler l'industrie du logiciel, au temps où cette industrie n'était pas encore séparée de l'industrie des machines. La stratégie de l'État a été de recruter des chercheurs et des talents et de faire venir la connaissance par trois mesures : le soutien aux industries nouvelles, l'encouragement aux exportations par des incitations fiscales et le développement du capital humain. Singapour poursuit sur cette voie à travers sa politique d'innovation dans le domaine de la *smart city*, qui en fait la référence mondiale.

---

14 Erik Reinert, *Comment les pays riches sont devenus riches et pourquoi les pays pauvres restent pauvres*, traduction par Claude Rochet, Ed. Du Rocher, 2012.

15 Lipsey, R., Carlaw, K. Bekar, C., *Economic transformations*, OUP, 2005.

Ces politiques s'inscrivent dans la lignée des économistes américains du XIXe siècle comme Alexandre Hamilton, Daniel Raymond et John Rae[16], dont Friedrich List a fait la synthèse dans son *Système national d'économie politique* en 1841, dont les Dragons asiatiques et la Chine revendiquent la filiation[17].

L'Europe de l'Organisation de Bruxelles – pour reprendre l'expression de Maurice Allais – ignore visiblement ces enseignements. Sa « stratégie de Lisbonne » de 2000, qui voulait faire de l'Europe « *la société de la connaissance la plus performante du monde* » dans un document grandiloquent, qui mettait une cerise de politique d'innovation « à la Schumpeter » sur un gâteau de théorie néoclassique et libre-échangiste, a été un échec absolu. Elle stagne dans un processus de « destruction destructrice » où l'obsolescence technologique fait son œuvre en l'absence de dynamique de soutien à l'innovation. L'Asie les a intégrés et est bien en passe aujourd'hui de devenir « la société de la connaissance la plus performante du monde ».

Références

Abramovitz, Moses, (1986), « Catching up, forging ahead, and falling behind », reproduit dans *Thinking about growth and other essays on economic growth and welfare,* 1990, Cambridge, MA, Cambridge University Press.

Chandler, A., (1977), *The Visible Hand. The Managerial Revolution in American Business*, Cambridge, MA, Belknap.

Freeman, F. et Louça, F., (2001), *As Time Goes By: The Information Revolution and The Industrial Revolutions in Historical Perspective*, Oxford, Oxford University Press.

Caron, François, (1997), *Les deux révolutions industrielles du XXe siècle*, Paris, Albin Michel.

Hobsbawm, Eric, (1964), "Economic Fluctuations and Some Social Movements since 1800", *in Labouring Men*, London, Weidenfield & Nicholson.

Landes, David, (2000), « Richesse et pauvreté des nations : pourquoi certains sont riches, pourquoi certains sont pauvres », Paris, Albin Michel.

Landes, David, (2003), "The Unbound Prometheus" – Technological Change and Industrial Development in Western Europe from 1750 to the Present", 2nd edition, Cambridge, première édition 1969.

Lipsey R., Carlaw K. Bekar C. « Economic transformations », OUP, 2005.

List, Friedrich, 1856 pour l'édition française, édition originale de 1841, « Système national d'économie politique », réimpression 1998, Coll. Tel, Gallimard, Paris, Préface d'Emmanuel Todd.

Mokyr, Joel, 2002 « The Gifts of Athena, historical origins of the knowledge economy », Princeton University Press.

16 John Rae est l'auteur de *Some New Principles on the Subject of Political Economy Exposing the Fallacies of Free Trade and Some Other Doctrines Maintained in the "Wealth of Nations* (1834), où il proposait une politique interventionniste de soutien à l'exportation et au progrès technique, d'encouragement au transfert des connaissances, de taxation du luxe et de protection des industries dans l'enfance.

17 Au point de considérer que l'Occident a oublié les leçons de ce qui avait fait sa croissance en adhérant au mythe du libre-échange et en rejetant l'intervention de l'État. Je développe leur analyse dans « L'État stratège, de la Renaissance à la IIIe révolution industrielle », *in* article « État », *Encyclopédie de la stratégie*, sous la direction d'Alain-Charles Martinet, Vuibert, 2014.

Nelson, Richard, 1996 « The Sources of Economic Growth », Harvard University Press, Cambridge, MA.

Perez, Carlota, 2002, "Technological Revolutions and Financial Capital - The Dynamics of Bubbles and Golden Age". Cheltenham Edward Elgar.

Perez, Carlota, 2004, "Technological Revolutions Paradigm Shifts and Socio-institutional Change", in Reinert, Erik "Globalization, Economic Development and Inequality: an Alternative Perspective", Edward Elgar, London.

Pisano, G. P., 2002 « In Search of Dynamic Capabilities », in « The Nature and Dynamics of Organizational Capabilities », Dosi, Nelson and Winter, Oxford.

Reinert, Erik « *Comment les pays riches sont devenus riches et pourquoi les pays pauvres restent pauvres* », traduction par Claude Rochet, Ed. Du Rocher, 2012.

Schumpeter, Joseph, 1911 "Theory of Economic Development", trad. en anglais Cambridge 1934, édition électronique « Théorie de l'évolution économique. Recherche sur le profit, le crédit, l'intérêt et le cycle de la conjoncture ». Traduction française, 1935. (Avec une introduction de François Perroux), Edition numérique, Les classiques en sciences sociales, Québec, http://www.uqac.ca/Classiques_des_sciences_sociales/

Schumpeter, Joseph, « Capitalisme, socialisme et démocratie. La doctrine marxiste. Le capitalisme peut-il survivre ? Le socialisme peut-il fonctionner ? Socialisme et démocratie. » (1942), Les classiques en sciences sociales, http://www.uqac.ca/Classiques_des_sciences_sociales/

Schumpeter, Joseph, 1997 (3 tomes) « Histoire de l'analyse économique », réédition Tel Gallimard, Paris.

Chapitre 2

Éléments de théorie « iconomique »

Michel Volle

Sommaire

1. Résumé

L'économie moderne *s'est déployée à partir de la fin du* XVIIIe *siècle en s'appuyant sur la mécanique et la chimie, puis sur l'énergie à partir de la fin du* XIXe *siècle.*

Elle a fait place, à partir des années 1970, à une économie informatisée[1] *qui s'appuie sur la synergie de la microélectronique, du logiciel et de l'Internet.*

La mécanique, la chimie et l'énergie ne sont pas supprimées : elles s'informatisent, tout comme l'agriculture s'est mécanisée et « chimisée » aux XIXe *et* XXe *siècles.*

L'informatisation automatise les tâches répétitives physiques et mentales. *Le flux de travail que demande la production devient faible en regard du stock de travail qui la prépare. Le coût de production tend à se réduire au coût du capital fixe initial.*

Il en résulte une cascade de conséquences dans la nature des produits, le régime du marché, l'organisation des entreprises, la sociologie des pouvoirs et la psychologie des personnes.

Nous nommons iconomie *une économie informatisée qui serait, par hypothèse, parvenue à la pleine efficacité ou, comme disent les économistes, à « l'équilibre ». Le modèle de l'iconomie met donc en évidence les conditions nécessaires de l'efficacité.*

Le chômage de masse indique que l'économie informatisée actuelle n'est pas *l'iconomie. L'économie actuelle connaît une crise de transition due à l'inadéquation du comportement des agents économiques (entreprises, consommateurs, État) au regard des ressources et des dangers qu'apporte l'informatisation.*

La stratégie pour sortir de cette crise s'appuie sur une conscience claire de ces ressources et de ces dangers afin d'orienter *les agents économiques vers l'iconomie.*

2. Introduction

L'*économie informatisée*, fondée sur la synergie de la microélectronique, du logiciel et de l'Internet, a succédé, à partir des années 1970, à l'*économie moderne*, qui était fondée sur la synergie de la mécanique, de la chimie et de l'énergie (Gille, 1978).

Nous nommons *iconomie* (du grec *eikon*, image et *nomos*, organisation) une société informatisée *efficace* (Saint-Étienne, 2013 et Volle, 2014).

L'économie de l'iconomie est donc par hypothèse *l'économie informatisée parvenue à l'efficacité* : elle utilise la totalité de ses ressources (en particulier la force de travail) et elle sait maîtriser les dangers qu'apporte l'informatisation.

Il s'agit d'une société future et non de la société actuelle, dont l'économie connaît une crise caractérisée, notamment, par le chômage de masse. Il s'agit plus exactement d'un repère posé à l'horizon du futur, en regard duquel la crise actuelle apparaît comme une *crise de transition* car l'économie informatisée conserve encore des habitudes héritées de l'économie moderne.

1 Nous n'utilisons pas ici le mot « numérique », qui est trop étroit pour désigner l'ensemble des phénomènes que comporte et provoque l'informatisation.

Pour pouvoir « penser » l'iconomie, nous construirons un *modèle* dont nous tirerons les conséquences. Comme tout modèle, celui-ci est schématique, mais le schéma qu'il propose sera correct s'il oriente l'intention vers l'action judicieuse.

* *

Une révolution industrielle comme celle que l'informatisation a provoquée transforme les fondations de l'économie. Pour comprendre ce que celle-ci est devenue, il faut partir de ce que sa théorie a de plus fondamental.

Cette théorie se construit à partir de trois éléments[2] : (1) la distribution des ressources entre les acteurs, (2) la fonction de production des entreprises[3] et (3) la fonction d'utilité des consommateurs.

Selon ce modèle, la production et l'échange conduisent, s'ils sont judicieux, de la distribution initiale des ressources à une situation *efficace*, que les économistes nomment « optimum de Pareto » (1906) ou encore « équilibre », et qui est telle qu'il serait impossible d'accroître la satisfaction d'un consommateur sans diminuer celle d'un autre. La prise en compte du temps et de l'incertitude du futur introduit dans ce modèle une *dynamique* et le risque d'une inefficacité, ou *déséquilibre*.

La spécification des ressources, de la fonction de production et des besoins des consommateurs permet de poser un diagnostic sur une économie particulière.

Une révolution industrielle transforme les ressources, la fonction de production et jusqu'aux besoins des consommateurs, car ceux-ci réagissent à l'offre dont ils ont connaissance. On ne peut donc conserver tels quels dans l'économie informatisée ni le diagnostic que les économistes ont porté sur l'économie moderne, ni les prescriptions qu'ils ont formulées. Il faut renouer, en amont de ces prescriptions, avec la réflexion des plus grands économistes.

Or, la théorie à l'œuvre, celle qu'ont en tête les dirigeants et les responsables de la politique économique, *n'est pas* la théorie savante : rares sont en effet ceux d'entre eux qui ont pris la peine de méditer les travaux des grands économistes.

Cette théorie est ce qui leur reste de cours d'économie scolaire écoutés d'une oreille distraite, complétés par des conversations et par la lecture épisodique du journal. Elle se condense en quelques théorèmes dont les conditions de validité sont trop complexes pour rester présentes à l'esprit.

Les théoriciens considèrent donc la théorie à l'œuvre comme un catalogue d'erreurs de débutant, elle ne les intéresse pas. Il est pourtant nécessaire d'en élaborer une critique, car elle a des effets sur l'économie réelle : l'illogisme du raisonnement provoque l'absurdité des décisions.

L'informatisation a en effet révélé dans le cerveau humain une ressource naturelle au potentiel *a priori* illimité – le logiciel est l'une de ses manifestations – et transformé la fonction de production.

---

2 La « boîte d'Edgeworth » (1881) en donne une représentation partielle mais éclairante.

3 Nous dirons « entreprises » pour désigner l'ensemble des institutions, dont l'institution « Entreprise » est un cas particulier.

Nous donnerons à cette dernière une nouvelle spécification. Il en résultera une représentation de l'équilibre (et de la dynamique) qui éclaire l'orientation stratégique des entreprises et la politique économique de l'État.

3. La production informatisée

L'agriculture, activité économique principale jusqu'au XVIIIe siècle, n'a pas disparu après la première révolution industrielle : elle s'est mécanisée et chimisée. De même, l'informatisation ne fait pas disparaître la mécanique, la chimie et l'énergie : *elle les informatise*.

Or, l'essentiel du coût de production d'un microprocesseur ou d'un logiciel est dépensé dans la phase de conception et d'investissement, qui est antérieure à la production proprement dite : leur coût marginal est négligeable. Sur l'Internet, le coût marginal du trafic est nul tant que celui-ci n'excède pas un seuil de dimensionnement qui est rarement atteint.

Le coût de ces produits étant indépendant du volume de la production, leur coût moyen décroît lorsque ce volume augmente : *le rendement d'échelle est croissant*. Il en est de même pour les ordinateurs, commutateurs, routeurs, etc. qui sont leurs applications les plus immédiates.

Il en est de même aussi pour la mécanique, la chimie et l'énergie, pour qui l'informatique est devenue *la* technique principale : leur coût marginal n'est sans doute pas négligeable, mais il est assez faible pour que leur rendement d'échelle soit croissant.

C'est là, pour certains, un phénomène bouleversant. John Hicks, qui fut l'un des plus grands économistes du XXe siècle, estimait que renoncer aux rendements décroissants et à la tarification au coût marginal entraînerait le naufrage de la théorie économique[4]. Il était trop pessimiste : il suffit de changer les hypothèses sur lesquelles s'appuie le raisonnement.

Comme le rendement d'échelle croissant se généralise dans l'économie informatisée, la tarification au coût marginal est désormais absurde, car elle obligerait les entreprises à vendre à perte, et les marchés des divers produits ne peuvent plus obéir au régime de la concurrence parfaite. Ils obéiront soit à celui du monopole naturel, soit à celui de la concurrence monopolistique.

3.1. Fonction de production

Pour connaître la fonction de coût d'une entreprise, il faut partir de la *fonction de production* dont elle dérive, et qui décrit la relation entre le volume des facteurs mis en œuvre et le volume de la production qui en résulte.

Les facteurs retenus le plus souvent sont le capital et le travail, dont les volumes sont notés respectivement *K* (*Kapital*, notation inspirée de l'allemand) et *L* (*labour*).

4 « On ne peut éviter le naufrage de la théorie de l'équilibre général qu'en supposant que, pour la plupart des entreprises, le régime du marché ne s'écarte pas beaucoup de la concurrence parfaite et que les prix ne s'écartent pas beaucoup du coût marginal de production, en niveau comme en évolution. » (Hicks, 1939, p. 84).

Le volume de la production est noté q. La forme générale de la fonction de production est donc :

$$q = f(K, L).$$

q et L sont des *flux* relatifs à une année, tandis que K est un *stock* constitué avant le début de cette année.

K est le volume du « capital fixe » (bâtiments, équipements, logiciels, etc.) dont la valeur figure à l'actif du bilan, et non le « capital » apporté par les actionnaires et qui figure au passif : c'est un *travail accumulé* pour rendre la production *possible*, tandis que L est le *flux de travail* nécessaire pour la *réaliser*.

Fisher (1906) disait « stock » et « flux » pour « capital » et « travail » : il est salubre de partager cette intuition.

La spécification de la fonction de production est purement théorique. Dans la pratique, il serait en effet difficile d'assigner un volume au flux de travail (comment pondérer les qualifications ?), ainsi qu'au stock de capital (comment pondérer les bâtiments, machines, logiciels, l'organisation, etc. ?) et même, souvent, à la production.

Il ne faut pas s'attarder à de telles difficultés : le but d'un modèle n'est pas d'alimenter en détail une description réaliste, mais de favoriser un raisonnement qui soit *exact* en ce sens qu'il oriente la décision vers l'action judicieuse (Fixari, 1977).

Les coûts unitaires des facteurs de production sont notés w *(wage)* pour le travail et r *(return)* pour le capital. Il faut que la mesure des coûts soit, comme celle de la production, relative à une année.

r est donc le *coût d'usage* du capital. Il doit couvrir le coût d'un emprunt ou, ce qui revient au même, un coût d'opportunité (ce que l'entreprise aurait obtenu si elle avait placé ses fonds plutôt que d'investir), et couvrir aussi le risque que l'investissement comporte, car il se peut que l'entreprise perde sa mise.

r est donc, si l'on note p_K le coût unitaire du capital fixe (en le supposant, par exemple, constitué de machines identiques) :

$$r = p_K\,(i + \pi),$$

où i est le taux d'intérêt du marché et π la prime de risque de l'activité considérée.

L'efficacité exige que, pour chaque volume q de la production, l'entreprise choisisse la combinaison des facteurs K et L qui minimise le coût de production : il s'agit donc de minimiser le coût annuel de production $c(q) = rK + wL$ sous la contrainte $q = f(K, L)$.

Il en résulte que, pour chaque valeur de q, K et L doivent être tels que :

$$\frac{\partial q}{\partial K} = \lambda r \text{ et } \frac{\partial q}{\partial L} = \lambda w, \; \lambda \text{ étant le multiplicateur de Lagrange,}$$

d'où :

$$w\frac{\partial q}{\partial K} = r\frac{\partial q}{\partial L}.$$

Nous allons voir que lorsque la fonction de production est spécifiée de façon explicite, cette relation permet d'exprimer K et L en fonction de q et d'en déduire la *fonction de coût* :

$$c(q) = rK(q) + wL(q).$$

3.2. Fonction de coût

La théorie actuellement à l'œuvre à « Bruxelles », dans les ministères, à l'OMC et dans les médias, inspirée par la doctrine néolibérale qui a tant de prestige auprès des conseils d'administration, affirme l'efficacité de la concurrence parfaite et du libre-échange, sans se soucier de savoir si l'économie considérée respecte les hypothèses des modèles d'Arrow-Debreu (1959) et de Ricardo (1817). Elle recommande aussi la tarification au coût marginal, conseil qu'il est impossible de suivre lorsque le rendement d'échelle est croissant.

Cela résulte de la façon dont le cours élémentaire d'économie présente la fonction de coût des entreprises. Il commence, conformément à l'intuition, par dire que le rendement d'échelle est croissant (le coût moyen $c(q)/q$ ou, selon les cas, le coût marginal $c'(q)$ diminue) lorsque le volume produit q est faible, et qu'il devient décroissant à partir d'un certain volume de la production, à cause de l'augmentation de la complexité des opérations. En complétant cette hypothèse par quelques autres, le cours démontre ensuite l'efficacité de la concurrence parfaite.

Puis il poursuit en proposant des spécifications de la fonction de production : fonction de Cobb-Douglas (1928), fonction à élasticité de substitution constante (CES, *Constant Elasticity of Substitution*) de Solow (1956), fonction à facteurs complémentaires de Leontief (1941) :

$$q = aK^{\alpha} L^{\beta} \text{ (Cobb-Douglas)},$$

$$q = k(aK^{r} + (1 - a)L^{r})^{1/r} \text{ (CES)},$$

$$q = min(aK, bL) \text{ (Leontief)}.$$

Ces fonctions (en fait, le plus souvent, la fonction de Cobb-Douglas) sont utilisées dans les modèles économiques et économétriques. Tout calcul fait, les fonctions de coût qui leur correspondent sont les suivantes (nous notons k_i un facteur constant qui diffère d'un cas à l'autre ; il dépend des coefficients de la fonction de production, ainsi que de w et de r) :

$$c(q) = k_1 q^{1/(\alpha + \beta)} \text{ (Cobb-Douglas)},$$

$$c(q) = k_2 q \text{ (CES)},$$

$$c(q) = k_3 q \text{ (Leontief)}.$$

Avec la fonction de Cobb-Douglas, le rendement d'échelle est constant si $\alpha + \beta = 1$, croissant si $\alpha + \beta > 1$, décroissant si $\alpha + \beta < 1$. Avec la CES ou la fonction à facteurs complémentaires, le rendement d'échelle est constant.

Dans ces trois cas, le rendement d'échelle est donc une fonction *monotone* du volume de la production, ce qui est contraire à la présentation initiale selon laquelle ce rendement est d'abord croissant, puis décroissant lorsque le volume produit dépasse un certain seuil.

Un fossé sépare ainsi l'introduction théorique du cours et la technique mobilisée par les modèles. Il en résulte un paradoxe : un modélisateur postulera l'efficacité de la concurrence parfaite alors qu'il utilise la fonction de Cobb-Douglas, qui contredit l'une des hypothèses sur lesquelles s'appuie la démonstration de cette efficacité.

Pour combler le fossé entre l'intuition et les formulations usuelles de la fonction de production, nous proposons une fonction à facteurs complémentaires, qui généralise la fonction de Leontief :

$$q = min(aK^{\alpha}, bL^{\beta}) \text{ avec } \alpha > 1 > \beta.$$

Tout calcul fait, la fonction de coût qui lui correspond est :

$$c(q) = r(q/a)^{1/\alpha} + w(q/b)^{1/\beta}.$$

Supposons par exemple que :

$$q = min(K^5, 5L^{0,2}) \text{ et que } w = r = 1.$$

La fonction de coût est alors :

$$c(q) = q^{0,2} + (q/5)^5.$$

Voici son graphe :

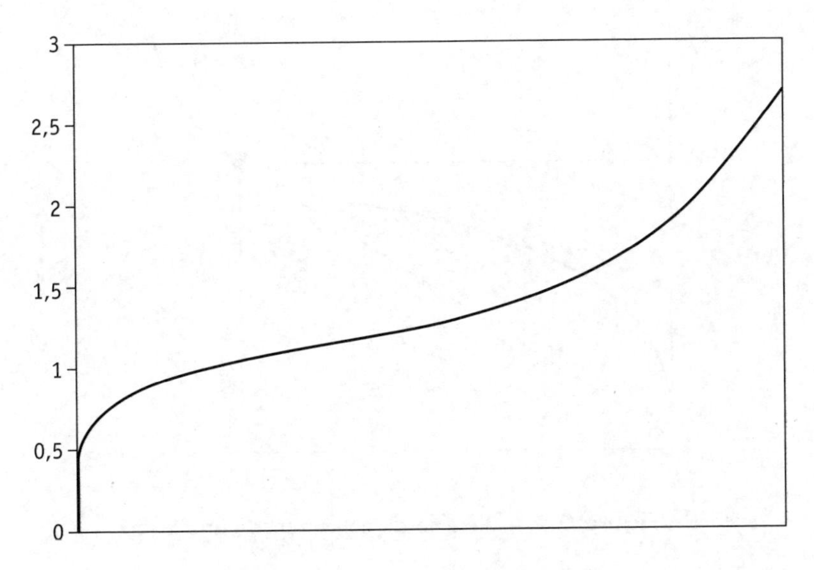

Figure 2.1 – Fonction de coût

Cette fonction de coût est conforme à l'intuition selon laquelle le rendement d'une entreprise est d'abord croissant, puis décroissant. Le coût moyen est minimal pour $q^* = 3{,}82$. Le rendement est croissant si $q < q^*$ et décroissant si $q > q^*$.

4. Régimes du marché

La théorie économique savante ne se limite pas à la concurrence parfaite : elle sait modéliser des régimes de concurrence imparfaite (Tirole, 1993) (monopole, oligopole, concurrence monopolistique), ainsi que la coopération entre des entreprises et les conséquences d'une asymétrie de l'information (sélection adverse, aléa moral, etc.).

Ces modèles ne sont pas plus compliqués que celui de la concurrence parfaite, mais seule celle-ci et le monopole, qui lui fait pendant, sont présentés dans un cours élémentaire d'économie. La théorie à l'œuvre ignore donc les autres régimes, notamment celui de la concurrence monopolistique.

4.1. Concurrence parfaite

Le régime de concurrence parfaite s'établit sur le marché d'un produit lorsque les hypothèses suivantes sont respectées :

– le rendement de la production du produit par une entreprise est d'abord croissant puis décroissant, de sorte qu'il existe un volume de production q^* tel que le coût moyen $c(q)/q$ soit minimal ;

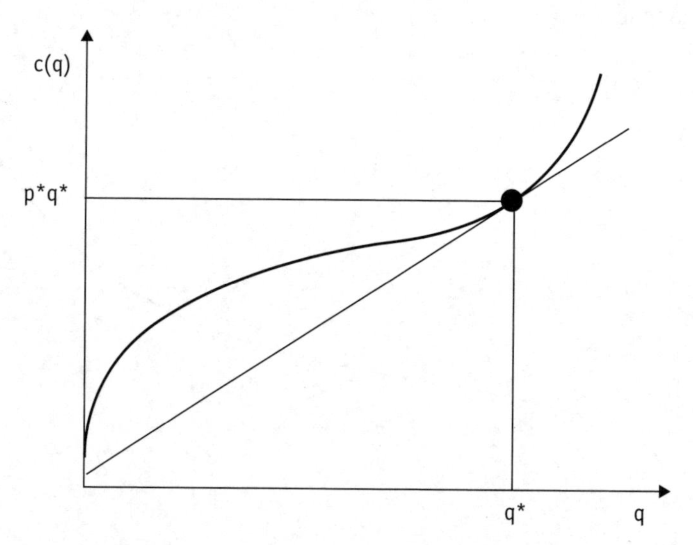

Figure 2.2 — Régime de concurrence parfaite

– pour le prix $p^* = c(q^*)/q^*$, la quantité $D(p^*)$ demandée sur le marché est beaucoup plus importante que q^* ;

– l'entrée d'une nouvelle entreprise sur le marché est libre.

Dans ces conditions, on démontre qu'à l'équilibre, le prix est p^*, chaque entreprise produit le volume q^* et le nombre des entreprises est $n^* = D(p^*)/q^*$.

Le profit des entreprises est nul mais l'économie est efficace, car le coût de production $n^*c(q^*)$ de la branche d'activité est minimal.

Nota bene : il faudrait dire « profit normal » plutôt que « profit nul », car les entreprises doivent compenser le risque que comporte leur activité.

On démontre aussi que le prix p^* est égal au coût marginal $c'(q^*)$ et que, pour le volume $q = q^*$, la fonction $c'(q)$ est croissante : l'équilibre s'établit donc dans une zone de la fonction de coût où, le coût marginal étant croissant, *le rendement d'échelle est décroissant*.

Le raisonnement qui permet de démontrer l'efficacité de la concurrence parfaite est subtil, sinon compliqué. La validité de ses résultats est suspendue au respect des hypothèses.

4.2. Monopole

Supposons que le volume de production qui correspond à la demande se trouve dans la zone des rendements croissants de la fonction de coût. Le marché obéit alors au régime du *monopole naturel* : une seule entreprise est en mesure de satisfaire toute la demande et elle peut évincer ses concurrents potentiels en pratiquant un prix plus bas que le leur. Si l'entreprise n'est soumise à aucune régulation, le prix du produit et la quantité produite seront ceux qui lui permettent de maximiser son profit.

Si l'on juge le monopole antipathique, c'est pour les raisons suivantes :

- contrairement à la concurrence parfaite, le monopole naturel procure à l'entreprise un profit supérieur à la prime de risque, et le prix qu'elle pratique rationne la demande ;
- on peut craindre que l'entreprise monopoliste, sûre de faire du profit, ne soit pas incitée à innover, ni même à se soucier de la qualité de son produit ;
- les monopoles ne sont pas tous « naturels » : il se peut qu'une entreprise s'empare d'une position de monopole, puis la conserve par des procédés violents.

Il faut donc que le marché soit soumis à une *régulation* qui interdise l'instauration d'un monopole par des procédés violents et qui, lorsque le monopole est naturel, sache préserver les intérêts des consommateurs et l'incitation à innover.

Il peut arriver qu'un régulateur mal renseigné ou trop dogmatique impose la concurrence sur un marché qui, sans son intervention, aurait obéi au régime du monopole naturel. Dans ce cas, la régulation risque d'être contraire à l'efficacité.

Lorsqu'un changement de système technique a lieu, comme c'est le cas avec l'informatisation, la fonction de coût peut être transformée : le régime du marché peut alors changer.

Le monopole naturel est-il inévitable si le rendement d'échelle croissant s'instaure sur un marché qui obéissait auparavant au régime de la concurrence parfaite ? Non, car il existe une autre possibilité : le régime de la *concurrence monopolistique*.

4.3. Concurrence monopolistique

Supposons, comme ci-dessus, que le volume de production qui correspond à la demande se trouve dans la zone des rendements croissants de la fonction de coût, mais que les consommateurs aient des besoins divers (comme c'est depuis longtemps le cas sur le marché des livres, de la musique, des automobiles, etc.).

Le produit peut alors être diversifié en *variétés* qui se distinguent par leurs attributs qualitatifs et sont destinées chacune à un segment de la clientèle (Robinson, 1933 ; Chamberlin, 1933).

Cette différenciation permet à plusieurs entreprises de coexister sur le marché de ce produit, alors même que le rendement d'échelle est croissant. La différenciation aura pour effet d'accroître quelque peu la demande totale du produit, car elle accroît son utilité. Cependant, la demande adressée à une variété sera d'autant plus faible que le nombre de variétés offertes est plus élevé.

Chaque entreprise va se trouver en position de monopole sur le segment de clientèle auquel correspond la variété qu'elle produit (on suppose ici qu'une entreprise produit une variété et une seule). Elle se trouvera en concurrence par le prix envers les clients qui sont indifférents entre sa variété et une autre.

Tout comme les autres régimes, celui de la concurrence monopolistique se prête à la modélisation mathématique : dans le cas où les variétés ont toutes le même coût de production, le nombre n^* des variétés est déterminé à l'équilibre, ainsi que la quantité q^* produite par chacune et leur prix unitaire p^*.

Un exemple

Voici un exemple simple pour illustrer la concurrence monopolistique.

Considérons une plage de longueur L où des vacanciers sont répartis selon la densité uniforme μ.

Un marchand de glaces s'installe. Il vend ses glaces au prix p. La consommation d'une glace procure à un vacancier le plaisir U mais l'aller-retour est d'autant plus pénible que la distance d qui le sépare du glacier est plus longue : nous supposons ce désagrément égal à kd.

La satisfaction S que la consommation d'une glace procure à un vacancier est donc :

$$S = U - p - kd.$$

Un vacancier achète une glace (et, supposons-nous, une seule) si sa satisfaction est positive. Le glacier a donc pour clients les vacanciers qui se trouvent à une distance $d < (U - p)/k$. Notons δ la distance limite, $\delta = (U - p)/k$. Le nombre de glaces vendues est :

$$q = 2\mu\delta = 2\mu(U - p)/k.$$

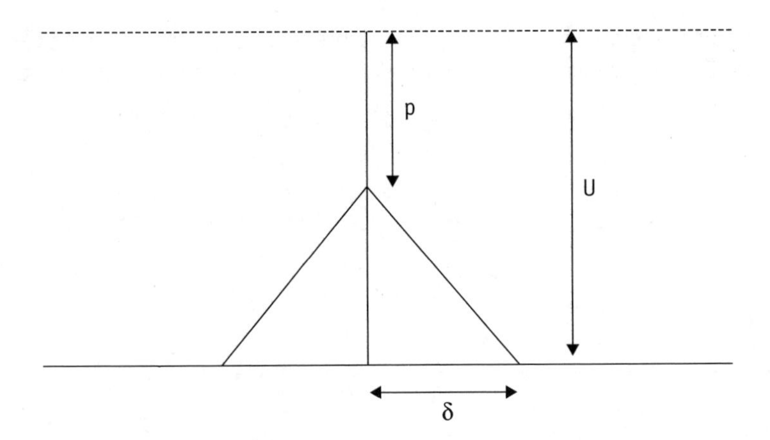

Supposons le coût de production des glaces indépendant du nombre de glaces produites et donc réduit au coût fixe C des équipements nécessaires à leur production. Le profit que fait le glacier est $\Pi = 2\mu(U - p)p/k - C$, qui est maximal pour $p^0 = U/2$.

Si le glacier pratique le prix p^0 son profit est $\Pi^0 = \mu U^2/2k - C$: il ne peut être positif que si

$$U > \sqrt{2kC/\mu}.$$

Si Π^0 était négatif, aucun glacier ne s'installerait sur la plage. Nous supposons qu'il est positif, et aussi que la longueur L de la plage est beaucoup plus grande que la largeur 2δ du segment servi par un glacier.

Le profit attire alors d'autres glaciers. Le deuxième s'installe loin du premier mais, progressivement, la plage entière est servie par des glaciers dont les « territoires » se touchent et qui font tous le même profit Π^0.

Chaque glacier se trouve alors en concurrence par le prix avec ses deux voisins. Supposons en effet que ces voisins pratiquent tous le prix p^0 : si le glacier G pratique un prix inférieur à p^0, il étend son territoire à leur détriment, mais cet élargissement de son marché est deux fois moins sensible à la baisse de son prix qu'il ne l'aurait été si G avait été seul sur la plage.

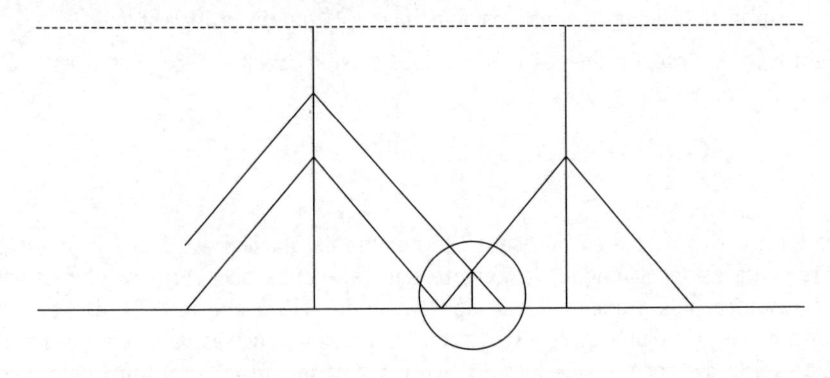

Pour comprendre cela, il faut être attentif à l'intérieur du cercle dans le graphique ci-dessus, où l'on voit ce qui se passe entre *G* et le glacier *G'* qui se trouve à sa droite.

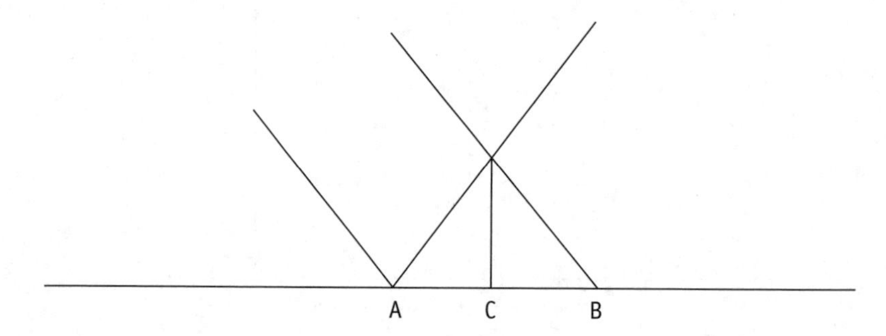

Quand G réduit son prix, son territoire s'étend à droite et à gauche. Si *G* était seul sur la plage, il gagnerait sur sa droite la longueur *AB*. Mais un vacancier qui se trouve sur le segment *CB* préférera *G'* car, sur ce segment, *G'* procure plus de satisfaction que *G*. *G* ne peut donc gagner en réduisant son prix que la longueur $AC = AB/2$ sur chacun de ses voisins.

Chaque glacier se trouve ainsi en position de monopole sur un segment de plage et en concurrence par les prix avec ses voisins : c'est pourquoi l'on dit que le régime de ce marché est la concurrence monopolistique.

L'évolution ne s'arrête cependant pas là. Le profit étant encore positif, de nouveaux glaciers sont incités à s'installer sur la plage, ce qui va comprimer le territoire et le profit des autres. L'installation de nouveaux glaciers va se poursuivre jusqu'à ce que le profit soit nul : le marché aura alors atteint l'équilibre de concurrence monopolistique.

Lorsqu'un glacier est seul sur le marché, la demande qui lui est adressée est $q = 2\mu(U - p)/k$. Le prix p qui lui permet de servir exactement le segment de largeur 2δ est égal à $U - k\delta$. Le volume de la demande est alors $q = 2\mu\delta$.

Si le glacier a des voisins avec lesquels il entre en concurrence par le prix, l'expression de la demande diffère de la précédente, parce que l'effet d'une baisse du prix est deux fois moins fort que si le glacier était seul : on a donc alors $dq/dp = -\mu/k$.

Pour trouver les valeurs de p^*, n^* et q^* à l'équilibre de concurrence monopolistique, il faut exprimer (1) que le profit est maximal, (2) que le profit est nul.

Le profit $pq - C$ est maximal si $pdq + qdp = 0$, soit $dq/dp = -q/p$, et il est nul si $pq = C$. On trouve donc :

$$p^* = \sqrt{kC/\mu},\ n^* = L\sqrt{k\mu/C},\ q^* = \sqrt{\mu C/k}.$$

Ce résultat est conforme au bon sens : le nombre de glaciers est d'autant plus élevé que la plage est plus longue, la densité des vacanciers plus forte et leur sensibilité à distance plus grande ; il est d'autant moins élevé que le coût fixe est plus important. Le prix d'une glace est d'autant plus élevé que les vacanciers sont plus sensibles à la distance et que le coût fixe est plus important, d'autant moins élevé que la densité des vacanciers est plus forte.

Nota bene 1 : $k\delta^* + p^* = (3/2)\sqrt{kC/\mu}$. Il faut que $U \geq k\delta^* + p^*$ pour que le consommateur qui se trouve à la même distance de deux glaciers bénéficie d'une utilité positive. La condition $U > \sqrt{2kC/\mu}$ pour qu'un premier glacier puisse s'installer sur la plage est alors respectée *ipso facto*.

Nota bene 2 : le surplus moyen d'un consommateur est $U - p^* - k\delta^*/2 = U - 5kL/4n^*$. Toutes choses égales par ailleurs, la satisfaction d'un consommateur est donc d'autant plus élevée que le nombre n* est plus grand.

* *

Nous pouvons généraliser les leçons que fournit cet exemple. Considérons un produit susceptible d'être différencié en variétés, dont la production demande le même coût fixe et qui se distinguent les unes des autres par la valeur x d'un paramètre qui « mesure » un attribut qualitatif.

Supposons que chaque consommateur ait une variété préférée x^0 dont la consommation lui procure le plaisir U, les autres variétés lui procurant un plaisir moindre $U - k|x - x^0|$. Supposons que l'étendue de la différenciation en variétés embrasse un intervalle de longueur L parmi les valeurs de x.

Si nous notons d la distance $|x - x^0|$, la satisfaction qu'une variété procure au consommateur s'écrit comme ci-dessus $S = U - p - kd$: chaque consommateur évalue de façon subjective la qualité des variétés du produit, selon ses propres besoins et préférences (si l'on prenait en compte la diversité des degrés de finition, il faudrait dire que le consommateur évalue leur rapport qualité/prix).

On retrouve alors les résultats ci-dessus : le marché se divise en segments au centre desquels se trouve la variété offerte par une entreprise. Celle-ci jouit d'un monopole à l'intérieur de ce segment et se trouve en concurrence par le prix à sa frontière. À l'équilibre, le nombre de variétés sera n^* et leur prix sera p^*.

Ce résultat s'étend au cas où les variétés se différencient selon deux attributs : le découpage du marché se fait alors non sur une droite mais sur un plan, chaque segment étant délimité par un hexagone dont le centre représente une variété offerte. L'entreprise est en position de monopole envers les clients dont le besoin est représenté par un point intérieur à l'hexagone, un client dont le besoin est situé sur la frontière de deux hexagones choisit indifféremment entre deux variétés (trois s'il se trouve au sommet d'un hexagone) et l'entreprise est en concurrence par le prix avec celles qui offrent les variétés placées au centre des hexagones voisins.

Le raisonnement s'étend, *mutatis mutandis*, au cas où les variétés se différencient selon plusieurs attributs x, y, z, etc.

Comme tout modèle, celui de la concurrence monopolistique est essentiellement schématique : il montre seulement, en partant d'hypothèses simplificatrices, comment peut s'établir un équilibre de long terme sur un marché où sont offertes (et demandées) diverses variétés d'un même produit.

Il n'éclaire donc pas la dynamique de l'entrée des nouvelles entreprises sur le marché (comment choisissent-elles la variété qu'elles vont offrir ? Comment réagissent les autres entreprises ?), mais seulement l'aboutissement de cette dynamique, aboutissement qui se situe à long terme et qui peut donc reculer à mesure que le temps avance. Il n'éclaire pas non plus l'innovation qui, changeant le coût fixe et faisant apparaître de nouveaux paramètres qualitatifs (et donc de nouveaux besoins), transforme les conditions de l'équilibre.

Ce modèle, qui aboutit à un équilibre statique, appelle donc le dépassement qui permet de modéliser une dynamique (il en est de même, notons-le, du modèle de la concurrence parfaite).

* *

Ce bref examen montre que, d'un point de vue purement théorique, un marché peut obéir à trois régimes différents :

- *concurrence parfaite*, si (1) le rendement d'échelle est d'abord croissant, puis décroissant, (2) pour un prix égal au minimum du coût moyen de production, la demande est beaucoup plus forte que la quantité qui correspond à ce minimum ;
- *monopole naturel*, si (1) le rendement d'échelle est croissant, (2) le produit ne se prête pas à une différenciation en variétés (exemple : lingot de cuivre pur) ;
- *concurrence monopolistique*, si (1) le rendement d'échelle est croissant, (2) le produit se prête à une différenciation en variétés.

Savoir si un marché obéit ou non au régime de la concurrence parfaite n'est donc pas une affaire de conviction ni d'idéologie, mais de *physique* : la question est tranchée par la position relative de la fonction de coût et de la fonction de demande.

L'affrontement idéologique entre la concurrence et le monopole occupe cependant tant de place dans la théorie à l'œuvre que l'expression « concurrence monopolistique » semble être un oxymore : parmi les économistes eux-mêmes, nombreux sont ceux qui ne sont pas familiers avec ce régime.

Il faut pourtant le considérer : nous montrerons que la concurrence monopolistique mérite de devenir, en lieu et place de la concurrence parfaite et du monopole, *la référence* pour les modèles qui formalisent l'économie informatisée.

4.4. Fonction de production macroéconomique

La fonction de production que nous avons considérée concerne *une* entreprise (plus précisément, la fraction d'une entreprise qui est consacrée à la fabrication d'*un* produit). Les modèles macroéconomiques utilisent la technique de l'*agent représentatif* pour raisonner sur une branche d'activité (ensemble des fractions d'entreprise qui fabriquent un même produit), assimilée à une entreprise unique.

La fonction de production d'un tel agrégat n'est cependant pas celle qui convient pour une entreprise. Supposons que le marché du produit considéré obéisse au régime de la concurrence parfaite ou de la concurrence monopolistique. Les n^* entreprises produisent chacune la quantité q^* et si la demande croît, l'augmentation de la production se fera par croissance du nombre des entreprises. Il en résulte que la fonction de production d'une branche d'activité est à rendement constant.

q^* est par ailleurs fonction de w et de r : si le prix relatif des facteurs change, les quantités K et L mises en œuvre par chaque entreprise changent également. Il est donc légitime de représenter la production d'une branche d'activité par une fonction de Cobb-Douglas à rendement constant : c'est ce qui explique le succès de cette fonction dans la modélisation macroéconomique.

Par ailleurs, les modèles qui formalisent la croissance (Ramsey, 1928) et ceux qui fondent la théorie des échanges internationaux (Ricardo, 1817; Heckscher-Ohlin, 1933; Helpman, 1985) assimilent un pays entier à une entreprise et l'ensemble de sa production à un ou deux produits.

Dans ce cas, w et r ne peuvent plus être considérés comme des paramètres du modèle, car le prix d'un facteur de production augmente quand il est davantage demandé : il est donc légitime de postuler dans ces modèles un rendement d'échelle *décroissant*.

Les économistes ne devraient cependant pas utiliser, lorsqu'ils considèrent les entreprises, des fonctions de production qui ne peuvent être légitimes qu'au niveau d'un agrégat macroéconomique.

5. Économie du dimensionnement

Les réseaux (télécoms, transport aérien, routes, électricité, etc.) ont en commun d'exiger un investissement important et de répondre à une demande aléatoire.

Un réseau est soit une infrastructure dont le coût d'exploitation est faible, à condition d'en assurer la maintenance (routes, télécommunications), soit une plateforme de service dont le coût d'exploitation est élevé mais dépend peu du volume du service produit (transport aérien, réseau d'agences), soit une juxtaposition de moyens de production dont les plus coûteux sont mis en œuvre progressivement, lorsque la charge du réseau augmente (énergie).

Dans tous les cas, le service qu'un réseau peut rendre est déterminé par son *dimensionnement*.

5.1. Fonction de coût d'un réseau

Nous dirons qu'une fonction de production est « à coût fixe » lorsque le coût marginal est pratiquement nul : le coût de production se réduit au coût de l'investissement antérieur à l'élaboration de la première unité du produit et le rendement d'échelle est évidemment croissant.

La fonction de production d'un réseau est à coût fixe une fois celui-ci construit car il peut fournir des services dont le coût marginal est nul ou négligeable (communications téléphoniques en dehors de l'heure de pointe, siège libre d'un avion, conseil à un client, etc.) : on peut donc dire qu'elle est « à demi à coût fixe ». Le coût de la construction du réseau est fonction de la dimension que lui donnent ses promoteurs : nombre de lignes principales du réseau téléphonique, nombre d'avions d'un transporteur aérien, nombre et effectif des agences, etc.

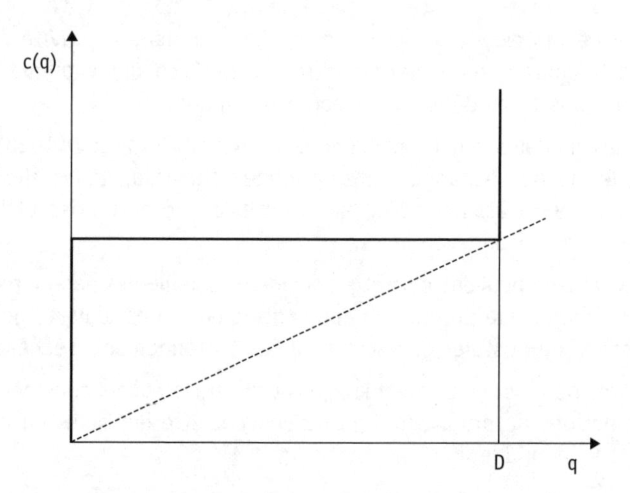

Figure 2.3 — Fonction de coût d'un réseau

Dans le graphique ci-dessus, le coût du dimensionnement est représenté par la courbe en pointillé et le coût du fonctionnement par la courbe en trait plein. Le trafic ne peut pas outrepasser le volume D.

Cette forme de la fonction de coût incite à réexaminer la fonction de production $q = min(aK^{\alpha}, bL^{\beta})$: si α est grand et β petit, on retrouve en effet le graphe ci-dessus. Supposons par exemple que :

$q = min(K^{100}, 5L^{0,01})$ et que $w = r = 1$.

La fonction de coût est alors :

$$c(q) = q^{0,01} + (q/5)^{100},$$

et son graphe est le suivant :

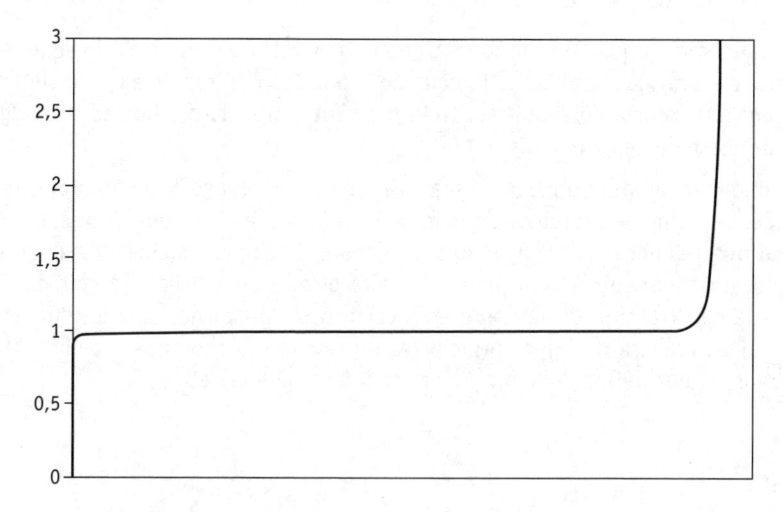

Figure 2.4 — Fonction de coût d'un réseau

Dans ce cas, le dimensionnement est $D = 5$. Le coût de production est pratiquement constant pour $q < 5$ et pratiquement infini pour $q > 5$. Le volume du capital est pratiquement indépendant de q et égal à 1. Comment interpréter cela[5] ?

Si l'on considère K comme un *dimensionnement*, concept plus ample que celui de capital, il faut donner aux facteurs K et L une interprétation qui diffère de celle retenue jusqu'ici.

rK représente le coût annualisé du dimensionnement répondant à la demande anticipée : il recouvre donc, outre le coût de l'investissement proprement dit, le coût d'exploitation attaché au fonctionnement des équipements (supervision, maintenance, exploitation courante). Dans le cas du transport aérien, par exemple, rK comporte, outre le coût annualisé des avions, celui des équipages nécessaires à leur mise en œuvre.

L représente alors le travail qui sera nécessaire pour atteindre un niveau de production qui outrepasse les exigences du dimensionnement : il est négligeable lorsque q est petit, il devient de plus en plus important quand q augmente.

rK est donc la dépense qui correspond au niveau de production anticipé, tandis que wL est le coût supplémentaire que l'entreprise doit supporter lorsque la production dépasse ce niveau.

Cette définition de K et de L convient évidemment pour une activité fortement capitalistique, telle que le coût du *travail stocké* K soit beaucoup plus important, pour le niveau de production anticipé, que le coût du *flux de travail*.

C'est le cas pour la production d'un microprocesseur : le dessin des masques, les équipements nécessaires pour les projeter sur le silicium et les installations représentent un investissement d'une dizaine de milliards de dollars. Le flux de travail des opérateurs de la salle blanche est négligeable en regard du travail qui a été stocké dans le capital.

La capacité de production annuelle a certes une limite b, mais elle est tellement élevée que l'on est *a priori* certain de ne jamais la dépasser. Il en est de même pour la production d'un grand logiciel : programmer un système d'exploitation demande de l'ordre d'une dizaine de milliards de dollars, et le coût de la distribution est négligeable en regard du coût de la conception.

Le cas d'un réseau est différent. Un réseau est un automate dont la conception est cohérente : il constitue donc *une* unité de capital. Le coût de cette unité est un prix p_K qui dépend du dimensionnement b, selon une relation que nous supposerons linéaire ; il en résulte que $r = kb$, de sorte que la fonction de coût d'un réseau s'écrit, de façon générale :

$$c(q) = kb(q/a)^{\alpha} + w(q/b)^{\beta}, \text{ avec } \alpha \text{ grand et } \beta \text{ petit.}$$

On peut aussi écrire, selon une approximation admissible :

$$c(q) = kb \text{ si } 0 < q < b,\ c(q) = \infty \text{ si } q > b.$$

Le dimensionnement b d'un réseau (télécoms, transport aérien, chemin de fer, routes, etc.) est fonction du trafic anticipé en période de pointe t^a et du taux de blocage τ jugé admissible durant cette période : $b = f(t^a, \tau)$.

5 Dans le plan (K, L), le « sentier efficace » devient pratiquement la verticale $K = 1$ et le système reste figé au point $(K = 1, L = 0)$ tant que $q < D$.

Le trafic en dehors de la période de pointe a un coût de moyen terme nul, puisqu'il ne conduit pas à réviser l'anticipation t^a, et un coût de court terme soit nul (trafic télécoms en dehors de l'heure de pointe), soit très faible (passager occupant un siège d'avion qui autrement serait resté libre).

Le trafic qui excède la capacité en heure de pointe est refoulé : il a donc un coût de court terme nul, mais son coût de moyen terme ne l'est pas, car sa prise en compte induit une révision de l'anticipation t^a.

La définition de l'heure de pointe, ainsi que du taux de blocage τ jugé admissible à l'heure de pointe, est un enjeu important.

Les opérateurs télécoms définissent par exemple deux périodes de pointe pour la téléphonie : l'une s'étale sur les heures de bureau du matin et de l'après-midi et correspond à un taux de blocage faible ; l'autre concerne la pointe du soir, provoquée par le trafic résidentiel, et correspond à un taux de blocage plus élevé. Le trafic d'affaires et le trafic résidentiel n'ayant pas la même répartition géographique, leurs matrices de trafic sont différentes.

Le dimensionnement du réseau se fait donc en deux étapes, d'abord de façon à satisfaire la demande d'affaires, puis en tenant compte du trafic résidentiel. Les taux de blocages sont établis de façon à minimiser le coût, tout en fournissant une qualité de service socialement admissible. L'arbitrage entre ces deux objectifs est fait de façon empirique.

Le dimensionnement des routes suit une démarche analogue. Il part d'une mesure du trafic prévisionnel, les périodes de pointe se situant selon les artères considérées le matin et le soir (trafic pendulaire domicile-travail dans les régions urbaines) ou dans la saison touristique.

L'offre d'un service obéit elle aussi à l'économie du dimensionnement : le nombre des agences locales, les effectifs employés, la formation qui leur est dispensée résultent d'une anticipation de la demande et, comme pour un réseau, de la prise en compte de son caractère aléatoire.

5.2. DEMANDE ALÉATOIRE

Des modèles prévoient la demande adressée à un réseau à un instant donné, en fonction des facteurs qui l'expliquent. Ces modèles sont probabilistes : même si l'incertitude est limitée par la prise en compte de tous les facteurs explicatifs, la demande est aléatoire par nature.

Le modèle fournit ainsi non une prévision de la demande, mais celle des paramètres d'une loi statistique à laquelle la demande se conforme à chaque instant (il s'agit le plus souvent d'une loi de Poisson, qui peut être approchée par une loi de Laplace-Gauss).

Supposons donc que la demande x obéit à chaque instant à une distribution statistique représentée par la loi de Laplace-Gauss $N(m, \sigma)$. Nous noterons $f(x)$ la densité de probabilité, $F(x)$ la fonction cumulative.

Nota bene : $N(m, \sigma)$ est ici l'approximation d'une loi Log-normale : m est assez grand par rapport à σ pour que la probabilité des valeurs négatives de x soit négligeable.

Le réseau doit être dimensionné de sorte que le taux de blocage soit égal à la valeur socialement admissible τ.

Le coût du réseau peut être approché au premier ordre par une fonction affine de son dimensionnement, soit

$C = \alpha + \beta\,(m + k\sigma)$, avec $\beta > 0$ et $k > 0$. Il en résulte que :

$\partial C/\partial\sigma = \beta k > 0$.

Si l'incertitude augmente, le réseau doit donc être dimensionné plus largement, pour assurer une qualité de service égale.

Or plusieurs réseaux (télécommunications, transport aérien, chemin de fer, etc.) sont passés, durant les dernières décennies, d'un régime de monopole (naturel ou prescrit par le droit) à un régime de concurrence.

Ce passage a accru, toutes choses égales par ailleurs, σ et donc le coût du réseau, car il a dégradé l'information disponible sur la demande : alors qu'un monopole peut observer toute la demande, l'entreprise en concurrence ne connaît que celle qui lui est adressée et sa part de marché connaît des fluctuations en partie aléatoires.

Lorsque les réseaux télécoms ont commencé à transporter le trafic de l'Internet, l'incertitude a encore été accrue. Alors que les communications téléphoniques demandent un débit de 64 kbit/s et que la distribution de leur durée est concentrée autour de la moyenne (trois minutes), les services de l'Internet demandent des débits divers (selon qu'il s'agit de transférer un texte, une image ou une vidéo) et exigent des communications de durées également diverses (une bouffée de *bits* pour le transfert d'un texte, un long flux continu pour une vidéo en *streaming*).

Notons x_t la demande à l'instant t et D le dimensionnement du réseau. Si $x_t < D$, tous les clients peuvent être servis. Si $x_t > D$, il faut renoncer à servir une partie des clients.

Le nombre moyen M des clients servis à chaque instant est :

$$M = \int_{-\infty}^{D} x f(x)\,dx + D[1 - F(D)].$$

On trouve, tout calcul fait (Volle, 2000) :

$$M = mF(D) - \sigma^2 f(D) + D[1 - F(D)],$$

et le taux de blocage est :

$$\tau = \frac{m - M}{m} \left(\text{si par exemple } D = m,\ \tau = \frac{\sigma}{m\sqrt{2\pi}} \right).$$

Les relations ci-dessus permettent de définir D selon le niveau τ du taux de blocage désiré.

Notons p le prix de vente d'une unité de trafic et a le coût d'une unité de dimensionnement rapporté à une période de trafic. Le profit lors de cette période est $\Pi = pM - aD$.

Le calcul montre que le dimensionnement qui maximise le profit est :

$D^* = F^{-1}[(p - a)/p]$.

6. L'iconomie

Le modèle de l'iconomie tire les conséquences des deux postulats qui caractérisent l'économie informatisée :

1. *Les tâches répétitives sont automatisées.*
2. *La fonction de production est à coût fixe.*

Nous les examinerons, puis en tirerons des conséquences :

- les marchés obéissent au régime de la concurrence monopolistique ;
- tout produit est un assemblage de biens et de services, élaboré par un partenariat ;
- la régulation détermine le régime du moteur de l'innovation ;
- le cerveau humain est une ressource naturelle inépuisable ;
- la fonction de commandement n'est pas *hiérarchique* ;
- l'iconomie indique l'orientation pour sortir de la crise.

6.1. Les tâches répétitives sont automatisées

L'écran-clavier, fixe ou mobile, offre une interface vers la *ressource informatique*, composée de l'ensemble des processeurs, mémoires, logiciels, documents numérisés et réseaux. Cet ensemble constitue *un* automate programmable, auquel l'Internet confère l'ubiquité, l'APU (*automate programmable ubiquitaire*) (Volle, 2006).

Les documents (textes, sons, images fixes ou animées) que l'APU met ainsi à disposition entourent le monde d'une *doublure documentaire* accessible à tout moment et depuis n'importe quel endroit. Les programmes, dont le code source est lui-même un texte[6], permettent d'enrichir cette ressource, de la consulter, de réaliser des calculs.

L'action de cet automate s'étend au monde de la matière grâce à des équipements périphériques : bras et outils des robots, capteurs et commandes du pilote automatique, imprimantes 3D, etc. L'informatique accomplit ainsi la promesse ancestrale de la magie : *agir sur les choses en prononçant des mots*, en l'occurrence le texte d'un programme.

On a, dans les années 1970, nommé « système d'information » (Mélèse, 1972) le dispositif qui concrétise l'informatisation d'une entreprise. Celle-ci consiste essentiellement à faire réaliser par l'automate les tâches répétitives, physiques ou mentales, qui se prêtent en effet à la programmation.

Lorsque les tâches répétitives sont automatisées, celles qui ne le sont pas doivent être réalisées par des êtres humains : l'informatisation remodèle ainsi l'organisation de l'entreprise.

Si le principe « automatiser les tâches répétitives » est simple, son application est délicate, car elle doit tenir compte des caractéristiques propres à l'automate et à l'être humain.

---

6 Le code exécutable (ou « code objet ») que procure la compilation *n'est pas* un texte, car la suite de 0 et de 1 qui le compose est illisible, tout comme est illisible celle qui transcrit un document quelconque pour qu'il puisse être traité par un processeur.

L'être humain est sujet à l'ennui et à la fatigue (c'est pourquoi le travail répétitif ne lui convient pas). Sa mémoire est infidèle et il lui arrive de commettre des étourderies.

L'automate, lui, apporte donc une assistance utile, mais il n'est pas parfait, lui non plus. Les processeurs et mémoires sont dégradés par le vieillissement, les liaisons que le réseau comporte peuvent être coupées accidentellement. Par ailleurs, aucun programme ne comporte la réponse à toutes les situations que peut présenter le monde de la nature : dans le programme le mieux conçu et le mieux vérifié, la probabilité d'un défaut est d'un pour 10 000 lignes de code source[7] (Printz, 2006).

L'automate doit donc faire l'objet d'une *supervision* assurée par des êtres humains. Contrairement à l'automate, qui ne peut rien faire d'autre qu'exécuter un programme, ceux-ci sont en effet capables de réagir devant l'imprévu, d'interpréter une situation particulière, d'user de discernement.

L'automate ne fait pas que remplacer le travail répétitif : il apporte une efficacité qui, sans lui, ne pourrait pas être atteinte. Le pilote automatique d'un avion de ligne permet, par exemple, de maintenir celui-ci dans la position qui minimise la consommation de carburant, position qui serait pour un pilote humain aussi difficile que de tenir une assiette en équilibre sur une épingle.

Les tâches répétitives étant automatisées, le travail humain se concentre sur le travail non répétitif : traitement de cas particuliers, réponse à des situations imprévisibles, conception de nouveaux produits, etc. Dans l'entreprise informatisée, le processus productif entrelace ainsi des automatismes avec des appels au discernement humain. Les agents de la première ligne qui, se trouvant en face du client, sont les mieux placés pour comprendre et traiter un cas particulier, ne doivent donc pas voir leurs initiatives bridées par un système d'information contraignant.

La réussite de la coopération entre l'être humain et l'automate suppose une répartition fine de leurs responsabilités. Si l'on automatisait à fond une centrale nucléaire, il ne se produirait qu'un incident tous les trois ans en moyenne et, dans l'intervalle, les opérateurs humains perdraient leur compétence et leur capacité d'action. Il convient donc de sous-automatiser ces centrales. Un problème analogue se pose pour le pilotage des avions.

L'informatisation ne se limite donc pas à la programmation de l'automate, fût-elle subtile : elle doit réussir son articulation, son *alliage*, avec la ressource mentale de l'être humain – et donc tenir compte de sa psychologie, comme de la sociologie dans laquelle il s'insère. Définir de façon adéquate la frontière de l'automatisation requiert un art que le principe « automatiser les tâches répétitives » résume selon le schématisme à gros grain qui suffit à la théorie économique – mais il ne peut pas répondre à toutes les exigences de l'action.

7 Windows XP, avec ses 40 millions de lignes de code, comporte ainsi au moins 4000 défauts qui provoquent des incidents.

6.2. La fonction de production est à coût fixe

Dire que la fonction de production est à coût fixe, c'est dire qu'elle est telle que le coût marginal soit nul : la fonction de coût d'un produit se réduit au coût du capital $C = rK$ de conception, organisation et investissement, de telle sorte que $c(q) = C$.

Le rendement d'échelle est alors évidemment croissant.

Cette forme de la fonction de coût s'obtient à partir de la fonction de production $q = min(aK^{\alpha}, bL^{\beta})$, en supposant qu'$\alpha$ est grand, que β est petit, et que b est très supérieur au volume qui serait demandé pour le prix minimal C/b : la contrainte de dimensionnement est alors sans effet.

Dans les faits, le coût marginal d'un produit n'est bien sûr jamais exactement nul, même pour un logiciel, car celui-ci ne peut parvenir entre les mains de son utilisateur sans supporter un coût de distribution : toutefois, ce coût est très faible en regard du coût de conception C. Il est donc légitime de supposer que le coût marginal d'un logiciel est négligeable et, en poussant pour simplifier l'hypothèse à l'extrême, de postuler qu'il est nul.

Il en est de même pour les composants microélectroniques : la conception d'un nouveau microprocesseur et l'installation nécessaire pour le produire coûtent de l'ordre d'une dizaine de milliards d'euros, mais la matière première est peu coûteuse et la production, automatisée, nécessite peu d'emplois. Certes, le volume de cette production sera limité par le dimensionnement de l'installation, mais cette limite est généralement tellement élevée qu'elle ne sera pas ressentie.

L'Internet, enfin, obéit comme tout réseau à l'économie du dimensionnement, qui est « à demi à coût fixe ». Pour simplifier le raisonnement, nous supposerons que sa production est elle aussi à coût fixe : cela revient à supposer que l'Internet est largement dimensionné au regard des besoins des utilisateurs en débit.

Ainsi nous pouvons, de façon schématique, dire que la fonction de production des trois techniques fondamentales du système technique contemporain est à coût fixe. Ces techniques fournissent l'essentiel des équipements informatiques (serveurs, ordinateurs, routeurs, passerelles, etc.), qui les assemblent sous une carapace protectrice et leur ajoutent des interfaces avec l'être humain (clavier, écran, boutons, connecteurs). Le coût de cette carapace et de cet assemblage est assez faible pour que l'on puisse dire que la fonction de production des équipements informatiques est à coût fixe.

Ces équipements prennent une place importante dans la mécanique, la chimie et l'énergie : une automobile, un avion, une usine chimique, un réseau de production d'énergie sont fortement informatisés et le coût de leur informatisation représente une large part du coût de production.

On ne peut plus dire, cependant, que le coût marginal soit ici nul : certaines matières premières sont coûteuses, le travail d'assemblage est important. Mais le coût initial de conception du produit, d'ingénierie de la production et de programmation des automates est tellement élevé que le rendement d'échelle est croissant, quel que soit le niveau de la production.

Alors qu'elle se trouve au cœur de l'entreprise, la fonction de coût détermine le régime du marché dans lequel celle-ci baigne : sa forme résume le rapport physique, pratique, entre l'entreprise et la nature. Lorsque le rendement d'échelle est croissant, le marché obéit soit au régime du monopole naturel, soit à celui de la concurrence monopolistique, et ce dernier s'impose lorsque les besoins des consommateurs sont diversifiés, ce qui est le cas pour la plupart des produits.

Pour construire la théorie de l'économie informatisée il est donc raisonnable de pousser à l'extrême le constat du rendement d'échelle croissant, qui résulte de l'informatisation, en postulant que la fonction de production de tous les produits est à coût fixe.

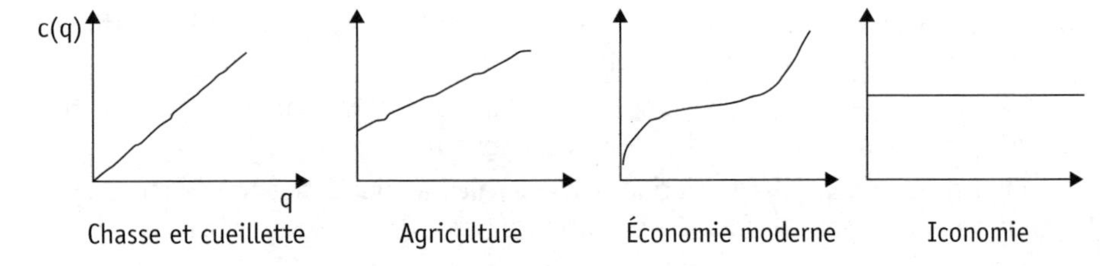

Figure 2.5 — Évolution historique de la fonction de coût

Comme tout le coût de production réside alors par hypothèse dans le capital fixe, l'économie informatisée est *ultra-capitalistique*.

Si l'on se rapporte à la fonction de production $q = f(K, L)$, où K représente le travail stocké antérieurement à la production et L le flux de travail nécessaire à la réaliser, on voit que le travail n'intervient plus que sous la forme d'un stock : *le capital est devenu le seul facteur de production*.

L'expression $q = f(K)$ serait cependant inexacte, puisque le capital fixe K permet de produire une quantité q quelconque. Le niveau K du capital détermine en fait non la quantité q qui sera produite, mais le niveau q_A de la qualité du produit : il faut d'autant plus de capital fixe que cette qualité est plus élevée.

La fonction de production qui correspond à la fonction de coût $c(q) = C$, où C est le coût du capital K, est donc en fait $q_A = f(K)$. *L'économie informatisée est une économie de la qualité* et ce fait a, nous le verrons, d'importantes conséquences.

6.3. La concurrence monopolistique

Nous avons vu que lorsque le rendement d'échelle de la production était croissant, le régime du marché était soit celui du monopole naturel, soit celui de la concurrence monopolistique. Nous avons dit aussi que ce dernier serait celui des produits qui sont destinés à une clientèle dont les besoins diffèrent, donc en fait celui de la plupart des produits.

Nous allons quitter ces généralités pour examiner comment la concurrence monopolistique se manifeste en pratique.

6.3.1. Différenciation des produits

L'activité productrice élabore des biens et des services. Un *bien* est une chose qui est dotée d'une masse et occupe un volume dans l'espace. Un *service* est, comme le disent les économistes, « la mise à disposition *temporaire* d'un bien ou d'une compétence » (Demotes-Mainard, 2003).

Tout produit consiste en un bien, un service, ou un assemblage de biens et de services (Debonneuil, 2007). Certains disent « produits et services » au lieu de « biens et services » : ce vocabulaire est malencontreux, car il donne à croire que les services ne résultent pas d'une activité productrice.

La plupart des produits se prêtent à une différenciation qualitative en *variétés* : que l'on pense aux livres, aux automobiles, aux services d'hôtellerie, etc. Cette différenciation peut être verticale et horizontale :

- verticale : les variétés se distinguent l'une de l'autre par leur degré de finition q_A, auquel correspondent des degrés du coût fixe C ;
- horizontale : la différenciation porte sur des attributs qualitatifs (couleur ou forme différente), pour un degré de finition et un coût fixe équivalents.

À chaque variété correspond un *segment de clientèle* contenant les consommateurs qui jugent son rapport qualité/prix supérieur à celui des autres variétés. La variété considérée a un monopole sur ce segment et elle est en concurrence par le prix auprès de ceux des consommateurs qui sont *a priori* indifférents entre les qualités de deux variétés : c'est la raison pour laquelle ce régime du marché a été nommé « concurrence monopolistique ».

Si l'on représente les attributs du produit selon les coordonnées d'un plan où les clients sont distribués de façon uniforme selon leurs préférences, et si l'on suppose la différenciation horizontale, celle-ci découpe le plan selon une géométrie en nid d'abeille : la surface de chaque hexagone représente le segment sur lequel la variété a un monopole, son contour est la frontière où elle est en concurrence par le prix avec les variétés voisines.

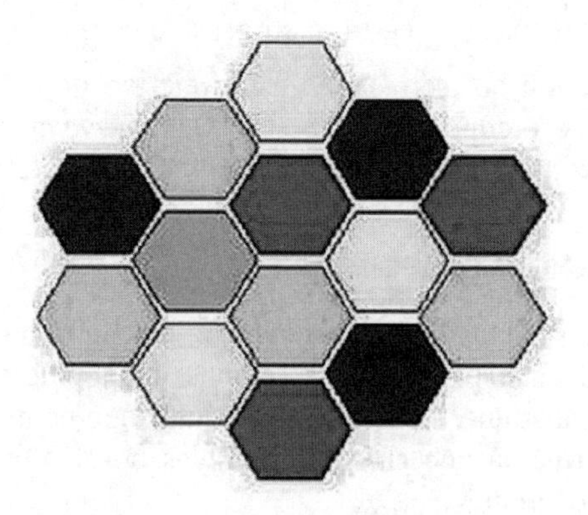

Figure 2.6 — Segmentation du marché

Le modèle de la concurrence monopolistique (Dixit et Stiglitz, 1977) montre que le nombre des variétés est d'autant plus grand que les clients sont plus sensibles à la diversité de leurs attributs ou que le coût fixe de leur production est plus faible.

* *

Sous ce régime, chaque entreprise doit chercher à offrir la variété qui lui procurera un monopole sur un segment de clientèle (« monopole de niche ») : il faut que cette variété se distingue par des attributs susceptibles d'attirer des consommateurs.

Or chaque produit est composé soit d'un *service* (consultation médicale, location d'une chambre d'hôtel, etc.), soit de l'assemblage d'un *bien* (automobile, téléviseur, etc.) avec des services (conseil avant-vente, financement d'un prêt, information, maintenance, dépannage, remplacement à la fin du cycle de vie, etc.) qui contribuent à son utilité.

Ainsi, l'offre des ascenseurs comporte des services d'entretien et de dépannage rapide, l'offre des réacteurs des avions de ligne comporte des services de supervision, maintenance, dépannage, etc.

Il se trouve que l'informatisation permet une extrême différenciation des services et des formules tarifaires (paiement à l'acte, au forfait, achat de l'accès à un « bouquet », etc.). L'analyse des données permet de délimiter les segments de clientèle, les outils de CRM *(customer relationship management)* permettent une approximation de la personnalisation du produit (qui, dans l'absolu, ne pourrait être atteinte que par une production artisanale).

Il en résulte que la différenciation est souvent obtenue par les seuls services, associés à un bien par ailleurs identique : depuis que les brevets de Xerox sont tombés dans le domaine public, les machines à photocopier sont toutes les mêmes, les fournisseurs ne se distinguant que par la qualité du service et, notamment, la rapidité des dépannages. Entre les constructeurs automobiles, la concurrence porte autant sur la qualité du service que rend le réseau des concessionnaires que sur la qualité des voitures.

Ainsi, dans l'économie informatisée, tous les produits sont soit des assemblages de biens et de services, soit de purs services. L'informatisation a permis de diversifier les services et de réduire leur coût et c'est eux qui, autant ou même plus que la qualité du bien, déterminent le rapport qualité/prix du produit.

Le coût de production du produit est la somme de celui du bien et des services qui lui sont associés. Nous avons supposé que la production du bien était à coût fixe. Celle des services l'est aussi s'ils sont automatisés (c'est le cas de ceux que rend un site web bien conçu), mais aussi s'ils nécessitent une intervention humaine (face-à-face dans une agence bancaire ou avec un vendeur, conversation téléphonique avec un opérateur, dépannage chez le client, etc.).

De tels services sont en effet organisés en réseau (réseau d'agences, de concessionnaires, etc.) et obéissent donc à l'économie du dimensionnement : l'organisation d'un réseau d'agences est un investissement dont le volume est déterminé par l'anticipation de la demande. Or, le schéma que nous avons retenu admet l'approximation selon laquelle le coût d'un réseau est un coût fixe.

6.3.2. Dialectique de la technique et de l'usage

L'équilibre d'une économie est semblable à celui d'une voûte dont les deux moitiés s'appuient l'une sur l'autre. La production ne peut pas tenir debout toute seule : il faut qu'elle puisse s'appuyer sur une consommation qui absorbe ses produits.

Le modèle de l'équilibre général suppose cela acquis : l'information étant par hypothèse parfaite, les consommateurs connaissent les produits offerts sur le marché, leur demande correspond à leurs besoins et ceux-ci sont, en retour, connus des producteurs.

Mais cette hypothèse ne peut pas être vérifiée dans la période de transition entre deux systèmes techniques : elle n'est donc pas vérifiée par l'économie informatisée. Elle ne le sera pas non plus, après la transition, dans l'iconomie elle-même, car l'innovation intense qui caractérise celle-ci crée à répétition un écart entre les habitudes des consommateurs et les produits qui leur sont proposés.

La dynamique du rapport entre la production et la consommation – ou, comme on dit, entre l'offre et la demande – résulte donc d'une dialectique qui n'est certes pas impensable, mais qui ne peut qu'échapper à ceux dont la pensée s'enferme dans le modèle de l'équilibre général.

Pour éclairer cette dialectique, il faut avoir une idée exacte du rôle des parties qui dialoguent. Le passage d'un système technique à l'autre, puis l'innovation dans le cadre du nouveau système technique, ouvrent de nouveaux *possibles* qui seront la *cause matérielle* de nouveaux *usages* (Flichy, 2003).

Le téléphone mobile, par exemple, a conféré l'ubiquité absolue à la communication vocale, qui était auparavant assujettie à la proximité physique des interlocuteurs avec un téléphone filaire. Son architecture s'appuie sur une ingénierie et un dimensionnement qui permettent de servir un grand nombre d'utilisateurs, malgré la rareté des fréquences disponibles, et sur la technique qui procure la continuité de la conversation lorsque l'utilisateur passe d'une cellule à une autre *(handover)*.

Dans le possible ainsi ouvert, les utilisateurs ont développé des usages. Alors qu'une famille s'équipait d'un seul téléphone filaire, le téléphone mobile équipe chaque personne. Les relations professionnelles et interpersonnelles sont modifiées tandis que le son de la parole, auparavant confiné dans l'espace privé, se répand dans les rues et les transports en commun. Tout cela pose des problèmes de savoir-faire et de savoir-vivre que l'usage n'a pas pu maîtriser immédiatement.

Le possible s'est encore élargi lorsque le téléphone mobile est devenu l'*ordinateur mobile* que l'on nomme « téléphone intelligent » et qui, conférant l'ubiquité absolue à la ressource informatique, a permis la floraison des *applets*, le SMS, etc. Les utilisateurs ont exploré en tâtonnant le nouveau possible qui leur était ainsi offert pour inventer de nouveaux usages.

Le phénomène s'est prolongé avec la tablette, il se poursuit avec le *wearable computer*, l'Internet des objets (Benghozi, Bureau et Massit-Folléa, 2009), etc. L'ubiquité de l'accès rendant indifférente la localisation physique de la ressource informatique, l'architecture du *cloud computing* est devenue son support naturel. La possibilité d'interactions synchrones ou asynchrones à distance entre humains, entre objets, entre objets et humains fait naître un nouveau rapport au territoire et aux déplacements.

Ceux des produits nouveaux qui réussissent sont ceux qui révèlent un besoin qu'ils satisfont : le besoin du téléphone mobile ne se manifestait pas avant qu'il ne fût offert. Comme dans toute dialectique, la technique et l'usage s'entrelacent ainsi intimement.

Lors de la phase initiale de *design*, l'intuition des techniciens anticipe les dimensions économiques et psychosociales de l'usage du produit. Puis leur attention est accaparée par les difficultés que présentent sa réalisation physique et l'ingénierie de sa production : il peut arriver alors, l'expérience le montre, qu'ils fassent des choix contraires à leur intuition initiale, car ils l'ont oubliée. La programmation d'un logiciel passe elle aussi par ces deux étapes.

Du côté des consommateurs, chaque possible nouveau arrive accompagné de dangers : la téléphonie mobile a suscité des comportements déplorables (effacement de la limite entre le temps de travail et la vie personnelle, conversations indiscrètes dans l'espace public, etc.), que l'ordinateur mobile a encore aggravés, tandis que le *cloud computing* et l'Internet des objets accroissent les risques concernant la sécurité et la confidentialité.

Si les utilisateurs ont l'initiative de l'invention des usages, leur demande ne peut s'exprimer que dans les limites de ce que la technique a rendu possible – plus exactement, dans les limites de leur *connaissance du possible*. Un délai leur étant nécessaire pour apprendre à connaître un possible nouveau, la pénétration des nouveaux usages est lente. Il se peut aussi que des potentialités fécondes soient durablement ignorées dans certains pays, tandis que d'autres savent en tirer parti.

C'est pourquoi il ne suffit pas, pour une entreprise, de concevoir un produit présentant de telles potentialités. Il faut aussi que son offre soit mise en scène selon une communication symbolique qui, comme celle qu'a organisée Steve Jobs pour les produits d'Apple, puisse éveiller le désir.

Les cerveaux qui coopèrent dans la définition du produit comme dans son usage ne sont pas le seul « cerveau-d'œuvre » de l'entreprise : l'intelligence collective qui s'organise autour de l'automate ubiquitaire englobe la « multitude » des utilisateurs et la « longue traîne » de la diversité des usages.

Chaque produit de l'iconomie présente des variétés répondant chacune aux besoins d'un segment de clientèle. Pour qu'une telle offre puisse être efficace, il faut que le consommateur puisse *trouver* sans trop d'effort la variété qui lui convient : des services d'intermédiation sont donc nécessaires. Le web en comporte dès aujourd'hui des exemples, avec les services intermédiaires et finals liés à la production et à l'exploitation de contenus que désigne l'expression « économie numérique ».

La variété qui correspond aux besoins d'un consommateur est celle qui présente, de son point de vue subjectif, le meilleur rapport qualité/prix. Il en résulte une nouvelle forme de la fonction d'utilité : alors que, dans l'économie moderne, elle avait la forme $U(x_1, x_2, ...)$, où x_i est la quantité consommée du produit i, elle devient dans l'iconomie $U(n_1, n_2, ...)$, où n_i est le nombre des variétés du produit i auxquelles le consommateur peut avoir accès (plus n_i est grand, plus la finesse de la différenciation est élevée et donc plus le consommateur a de chances, toutes choses égales par ailleurs, de pouvoir trouver une variété proche de son besoin).

Il en résulte, dans la perception de la valeur, un changement auquel correspondent des formes de tarification portant essentiellement sur l'accès au produit, comme on le voit déjà sur le marché des « bouquets » télévisuels : la quantité optimale consommée étant indéterminée, le tarif est forfaitaire, son montant ne dépend que de la qualité et le prix d'un volume unitaire est nul.

La ressource informatique est devenue tellement commode que sa technique est pratiquement transparente pour l'utilisateur. On peut être alors tenté de croire que l'important réside dans le monde psychosocial des seuls usages, que l'on désigne improprement par le mot « numérique », et que le savoir-faire technique est devenu négligeable.

C'est risquer de faire s'effondrer la voûte évoquée plus haut : la commodité de l'usage s'appuie, du côté de la production, sur une maîtrise technique élevée. Concevoir une automobile facile à conduire suppose que le constructeur maîtrise et intègre les éléments techniques qui conditionnent le confort et la tenue de route (carrossage des roues, dosage de la suspension, répartition des masses, acoustique, automatisation du moteur, du freinage, de la direction, etc.). Il en est de même pour l'informatisation.

Certes, nombre d'usages innovants sont importés dans les entreprises par des utilisateurs qui se heurtent d'ailleurs de front à la direction des systèmes d'information : solutions collaboratives (blogs ou wikis), réseaux sociaux, téléphones « intelligents », etc. La conception « agile » de services ou de logiciels s'appuie par ailleurs sur l'observation du comportement des utilisateurs : ils ont ainsi acquis une influence déterminante sur la nature des produits, quand ils ne jouent pas eux-mêmes, dans le cadre des réseaux de *crowdsourcing*, le rôle du concepteur et du producteur. Mais cela ne supprime pas les exigences de pertinence, sobriété et cohérence qui s'imposent à l'informatisation d'une entreprise.

La dialectique de la technique et de l'usage est donc complexe et enchevêtrée. La technique, qui a le premier mot, anime et bouscule l'usage, présentant des possibles et des dangers dont la compréhension mûrit à une vitesse inégale selon les personnes et les institutions. Le bouillonnement qui en résulte est semblable à celui de la Renaissance : tout comme alors, l'évolution culturelle peut tout aussi bien, si l'on n'y prend pas garde, conduire à une guerre civile ou à une civilisation.

6.3.3. Moteur de l'innovation

Le modèle de la concurrence monopolistique part du coût fixe C et de la fonction qui décrit les préférence des clients pour définir le nombre n^* des variétés du produit et son prix p^*. L'équilibre qui en résulte segmente l'espace des besoins comme dans le schéma de la figure 2.6.

Cette image paisible est cependant trompeuse, car la concurrence monopolistique nourrit une dynamique : pour concevoir des produits susceptibles de leur procurer un monopole sur un large segment des besoins, les entreprises sont incitées à explorer les possibilités qu'offre la physique et à anticiper les besoins des consommateurs.

Ceux-ci ne peuvent demander que des produits qui existent : personne ne pensait à demander un téléphone mobile avant que celui-ci ne soit disponible. Le *design* d'un produit nouveau ne s'appuie donc pas sur le constat de la demande que fournit le marketing, mais sur une intuition stratégique anticipatrice comme celle qui a permis à Steve Jobs de concevoir l'iPod, puis l'iPhone et enfin l'iPad (Isaacson, 2011).

Le monopole conquis par un nouveau produit étant bientôt concurrencé, le marché se découpe en segments sur chacun desquels le monopole est local et obéit alors au régime de la concurrence monopolistique : Microsoft doit voisiner sur le marché des systèmes d'exploitation des micro-ordinateurs avec Apple et Linux ; Intel doit voisiner sur le marché des microprocesseurs avec Qualcomm, Samsung, AMD, etc. (IC Insights, 2013) ; le marché des téléphones « intelligents » et des tablettes se partage entre Apple, Samsung, Asus, Lenovo, Amazon, etc.

La segmentation du marché ressemble donc à la surface d'un liquide bouillonnant où des cellules se forment, croissent, se bousculent et disparaissent, plutôt qu'à un pavage en hexagones réguliers.

La concurrence monopolistique, aiguillonnée par l'élargissement continu des possibilités qu'offre l'informatique (aujourd'hui : Internet des objets, impression 3D, bio-informatique, analyse des données, réalité augmentée, etc.) et par l'évolution des services (géolocalisation, télémédecine, services à la personne, etc.), alimente le moteur à quatre temps de l'innovation :

1. l'innovation procure un monopole qui donne à l'entreprise un profit supérieur à la norme de la branche d'activité ;
2. les concurrents, percevant la demande que l'innovation a fait naître, offrent des variétés du produit qui se distinguent par leurs attributs qualitatifs ;
3. pour maintenir sa compétitivité, l'entreprise améliore son rapport qualité/prix, ce qui transfère aux consommateurs le gain que l'innovation procure ;
4. le cycle se boucle par une nouvelle innovation, qui permet de retrouver un profit supérieur à la norme.

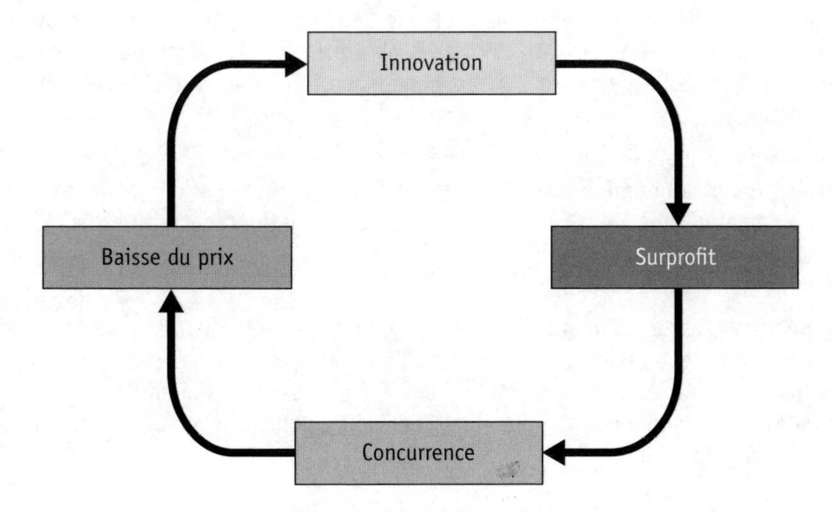

Figure 2.7 – Moteur de l'innovation

Le bien-être matériel du consommateur, qui est le seul but de l'économie, s'accroît à chaque cycle. Cette croissance consiste en une meilleure adéquation des produits aux besoins : elle est donc *qualitative* et un indicateur comme le PIB, qui agrège les quantités produites[8], ne permet pas de l'observer.

Le monopole que l'innovation procure est *temporaire*, d'où l'aspect bouillonnant du découpage du marché. Le « surprofit » rémunère l'effort de conception, ingénierie, programmation, organisation, etc. que l'innovation impose à l'entreprise. Le régulateur agit sur la durée du monopole temporaire pour doser la vitesse de rotation du moteur de l'innovation : si elle est trop longue, le monopole sera tenté de s'endormir sur ses lauriers en jouissant du surprofit ; si elle est trop courte, l'incitation à innover s'éteindra, car l'innovation ne serait pas assez profitable pour compenser l'effort qu'elle exige.

6.4. L'EMPLOI DANS L'ICONOMIE

Les tâches répétitives sont celles qui se répètent *à l'identique* : dans *Les Temps modernes*, Charlot serre de façon répétitive les mêmes boulons dans la même plaque de métal. En revanche, le médecin qui reçoit des patients l'un après l'autre ne fait pas un travail répétitif, car ce n'est pas « toujours le même patient » qui entre dans son cabinet.

Dans la réalité, une entreprise n'automatisera que les tâches qu'il est rentable d'automatiser : certaines tâches répétitives ne le seront donc pas, mais cela ne remet pas en cause le principe « automatiser les tâches répétitives », car il fournit une bonne approximation de la démarche réelle.

L'automatisation entraîne une rupture avec le rapport social de la « main-d'œuvre », qui faisait du travail humain l'auxiliaire physique de la machine : dans l'économie informatisée, le travail est accompli par un « cerveau-d'œuvre ».

Le rapport social de la main-d'œuvre a permis de mettre au travail des personnes qui n'avaient *a priori* aucune compétence et que l'entreprise spécialisait dans la répétition d'un même geste (Linhart, 1978). Il n'en est plus de même dans l'économie informatisée, car elle demande à l'être humain de faire preuve de discernement et d'initiative.

Le plein-emploi peut-il être atteint quand le cerveau-d'œuvre remplace la main-d'œuvre ? Après la première révolution industrielle, la mécanisation a d'abord semblé détruire l'emploi, puis celui-ci a été redéfini, des formations ont été mises en place et l'économie a retrouvé le plein-emploi. Rien ne prouve qu'il n'en sera pas de même avec l'informatisation.

Le rapport social de la main-d'œuvre supposait l'ouvrier dépourvu de capacités mentales autres que celles qui permettent l'apprentissage d'un geste, puis sa répétition réflexe. À la longue, l'exécution d'une tâche répétitive inhibait ses ressources cérébrales : l'« intelligence » était alors considérée comme le privilège exclusif des cadres et des dirigeants.

8 Pour tenir compte de l'« effet qualité », les statisticiens ont défini des indices « hédoniques » mais ils sont notoirement insuffisants.

Ce rapport social n'était donc pas conçu, en réalité, pour fournir un emploi à des personnes dépourvues de capacités mentales : il détruisait la capacité mentale des personnes qu'il employait, créant ainsi la situation à laquelle il semblait remédier.

Le passage de la main-d'œuvre au cerveau-d'œuvre fait émerger un nouveau rapport social et, corrélativement, une nouvelle ressource.

6.4.1. *Le cerveau humain, ressource naturelle*

Alors que la ressource mentale que, sauf handicap, chacun possède, était niée et inhibée dans la main-d'œuvre, l'informatisation la sollicite dans le cerveau-d'œuvre. Elle se manifeste dans le rapport de l'entreprise avec la nature physique (conception des techniques, programmation des automates, supervision et maintenance) et avec la nature psychosociale (anticipation des besoins, *design* des produits, relation de service avec les consommateurs).

Il s'agit d'une *ressource naturelle*, puisque chaque être humain naît avec un cerveau et que, contrairement à l'énergie d'origine fossile, cette ressource est *inépuisable*.

Pour comprendre cela, il faut se rappeler ce qu'est une ressource naturelle. Un gisement de pétrole n'existe dans la nature que comme potentiel. Pour réaliser celui-ci, il faut un travail d'extraction, puis un raffinage qui transforme chaque molécule pour en faire un produit final : carburant, lubrifiant, matière plastique, etc. Chaque molécule ne réalise ainsi qu'une partie du potentiel de la ressource.

De même, le cerveau humain est un potentiel mental et, pour réaliser ce potentiel, il faut un travail : l'*enseignement* lui procure le discernement par la « leçon de choses », l'*instruction* lui procure une structure, la *formation* lui procure une compétence, l'*éducation* lui procure maturité et sens des responsabilités. Ce travail amorcé dans l'enfance se prolonge tout au long de la vie.

Alors que le potentiel du pétrole se limite à la liste des produits finals qu'il permet d'élaborer, le potentiel du cerveau humain ne comporte pas de limites *a priori* : la diversité des réalisations de notre espèce en témoigne. Ceci n'est pas contradictoire avec le fait que chaque être humain ne réalise, dans le courant de sa vie, qu'une partie de son potentiel et que cette réalisation soit elle-même bornée : il en est de même pour toute ressource naturelle.

Alors que chaque être humain est porteur du potentiel illimité de l'humanité, son destin individuel n'en réalise donc qu'une partie, et celle-ci est limitée. La coopération des individus qu'organise une entreprise élargit cependant l'éventail des réalisations possibles.

L'économie moderne, mécanisée et chimisée, n'a pu déployer son potentiel qu'en consommant des quantités croissantes d'une ressource énergétique dont le stock est limité. Certains, dont le raisonnement s'appuie sur la thermodynamique, estiment que cela impose une limite à la croissance économique (Jancovici, 2013).

Ils ne tiennent pas compte de la ressource naturelle inépuisable que l'informatisation met en œuvre. Cette ressource ne peut cependant se déployer que si les entreprises adoptent l'organisation nécessaire.

6.4.2. *Commerce de la considération*

L'entreprise moderne ne demandait à la main-d'œuvre que l'exécution des ordres reçus. L'initiative et la responsabilité étant réservées aux seuls détenteurs d'un pouvoir légitime, l'organisation était hiérarchique et la fonction de commandement était sacralisée (*hieros*, sacré, *arché*, pouvoir).

Or, on ne peut pas demander au cerveau-d'œuvre de travailler en pur exécutant, car un cerveau humain cesse de fonctionner ou s'évade dans le rêve s'il n'a pas la possibilité de s'exprimer et la certitude d'être écouté.

Pour des raisons d'efficacité, l'entreprise informatisée délègue d'ailleurs d'importantes responsabilités à des agents auxquels elle demande de faire preuve de jugement et de discernement. Une telle responsabilité n'est psychologiquement supportable que si elle s'accompagne d'une délégation de légitimité – c'est-à-dire de la reconnaissance du droit à l'erreur et du droit à la parole.

L'entreprise informatisée fait enfin coopérer des spécialités « pointues » : ceux qui conçoivent les produits, ceux qui programment les automates, ceux qui supervisent le fonctionnement des équipements, ceux qui sont en première ligne au contact des consommateurs, etc. Pour que ces spécialités puissent dégager une synergie, il faut qu'elles soient capables de *dialoguer*.

C'est pourquoi les relations entre spécialités et entre personnes doivent, dans l'économie informatisée, obéir à un « commerce de la considération ». Cette expression désigne la relation dans laquelle *l'on écoute celui qui parle en faisant un effort sincère pour comprendre ce qu'il veut dire*. Il s'agit bien d'un « commerce », d'un échange, car cette relation doit être équilibrée. Elle s'étend aux personnes extérieures à l'entreprise : clients, partenaires, fournisseurs.

Il ne s'agit pas là d'une injonction sentimentale mais d'une exigence pratique. Quelqu'un qui travaille essentiellement avec son cerveau ne peut, en effet, être durablement efficace que s'il sait pouvoir être entendu : c'est le cas pour les concepteurs, comme pour ceux qui travaillent en première ligne.

N'étant plus la seule détentrice de la parole légitime, la fonction de commandement perd alors le caractère « sacré » qu'elle avait envers la main-d'œuvre pour devenir une spécialité certes utile, mais ni plus ni moins prestigieuse que les autres.

Le fait que le commerce de la considération et la désacralisation du commandement soient nécessaires ne suffit pas pour qu'ils s'imposent : comme toute économie, l'économie informatisée peut être tentée de nourrir une crise intime en tournant le dos à l'efficacité. Les possibilités qu'apporte l'informatisation sont d'ailleurs accompagnées de risques.

6.5. L'ÉCONOMIE DU RISQUE MAXIMUM

Le futur étant essentiellement incertain, l'entreprise qui innove prend un risque : il n'est jamais certain que le nouveau produit rencontre le succès sur le segment de marché qu'il vise.

Dans l'économie moderne, le coût de production était (en simplifiant) de la forme $C + mq$, où C est le coût fixe, m le coût marginal, q la quantité produite. Si le produit ne se vend pas, il est possible de réduire le coût total de sa production en cessant de le produire.

Si *m* est nul, comme c'est le cas dans l'économie informatisée avec la fonction de production à coût fixe, l'entreprise doit payer la totalité du coût de production avant d'avoir vendu la première unité du produit, d'avoir reçu la première réponse du marché, de connaître l'offre de concurrents qui, eux aussi, innovent.

Ce ne serait pas grave si *C* était faible, mais dans l'économie informatisée le coût fixe est élevé. La conception du nouveau produit suppose en effet que l'on conçoive et construise les automates qui serviront à le produire, que l'on écrive leurs programmes, que l'on organise le réseau des services qui l'accompagneront, que l'on forme les agents, etc.

L'économie informatisée, qui est ultra-capitalistique et réclame des investissements importants, est donc « l'économie du risque maximum » : la fonction de production à coût fixe est, de toutes les formes de la fonction de production, celle qui maximise le risque de l'entreprise.

Elle est donc aussi celle où la violence potentielle est la plus élevée. Pour limiter le risque qu'elles courent, les entreprises seront tentées de corrompre les acheteurs chez leurs clients, d'espionner leurs concurrents, etc.

Organiser la production selon un réseau de partenaires permet cependant de partager le risque, et donc de limiter celui que supporte une entreprise.

6.5.1. Partenariats

Chaque produit étant un assemblage de biens et de services, les « effets utiles » qu'il procure au client nécessitent l'intervention d'acteurs aux compétences diverses.

Outre le *design* du produit et l'ingénierie de sa production (conception et programmation des automates, organisation des services, système d'information), l'investissement initial comportera une *ingénierie d'affaire* qui monte le partenariat en établissant le contrat qui répartit les responsabilités, recettes et dépenses, et en mettant en place la plateforme d'intermédiation qui aura pour rôle :

- d'assurer l'interopérabilité du processus de production en introduisant, entre les systèmes d'information des partenaires, la passerelle qui assure une fonction de traduction et de commutation ;
- de traiter les « effets de commerce » qui circulent entre les partenaires en procurant au partage des dépenses et recettes la transparence qui garantit son honnêteté.

Le partenariat sera *équitable* s'il est également rentable pour chaque partenaire : il faut donc en principe que le partage des dépenses et des recettes soit tel que le taux de rentabilité soit le même pour tous. L'application de ce principe doit cependant tenir compte du fait que le risque n'est pas le même pour tous les partenaires : pour certains d'entre eux, la perte qu'entraîne un échec du produit serait supportable, tandis que pour d'autres elle provoquerait une faillite.

Le taux de rentabilité de chaque partenaire doit donc comporter une prime correspondant au risque qu'il encourt. L'évaluation de cette prime est certes difficile, mais pas plus que celle du capital engagé dans le projet, et qui sera souvent un *capital de compétence* que la comptabilité mesure mal.

Il faut donc que les partenaires se mettent d'accord sur l'évaluation du capital que chacun engage dans le projet et sur celle du risque que chacun encourt : cela se fait lors de la négociation du contrat de partenariat.

Celui des partenaires qui maîtrise la plateforme d'intermédiation n'est pas dans la même position que les autres : il occupe au cœur du réseau une position centrale, qui est aussi une position de pouvoir. Il sera d'ailleurs souvent celui qui est à l'initiative du *design* du produit, de l'organisation du partenariat et de l'ingénierie d'affaire.

Mais le partenariat est par principe une relation d'égal à égal, c'est ce qui le différencie de la relation entre donneur d'ordre et sous-traitant. Cette égalité de principe semble contradictoire avec le rôle de l'organisateur du partenariat, qui se trouve en position de sur-traitant par rapport aux autres partenaires.

Pour surmonter ce paradoxe, on peut s'inspirer de l'organisation qui prévaut dans le logiciel libre, où les projets, nourris par des contributeurs bénévoles, ne peuvent aboutir qu'à condition d'être pilotés par un « dictateur bienveillant ».

Ces contributions sont de qualités diverses : certaines précieuses, d'autres inutiles, quelques-unes nocives. Il faut donc que quelqu'un de bien informé, placé dans une position centrale, choisisse celles qui seront retenues et puisse rejeter les autres : c'est la fonction du « dictateur ».

Mais il faut que ce dictateur soit « bienveillant », car sinon le flux des contributions se tarirait. Il doit donc remercier chaque contributeur et l'encourager à continuer, quelle que soit la qualité de sa contribution et même (ou surtout) si celle-ci est rejetée, car il se peut que celui qui a proposé hier une contribution inutile aie demain une idée lumineuse.

Le « dictateur bienveillant » est un praticien du commerce de la considération, d'une écoute attentive qui manifeste le respect accordé à chaque contributeur en lui répondant de façon obligeante.

Il en est de même dans un partenariat. Celui qui exploite la plateforme d'intermédiation doit pratiquer le commerce de la considération envers les autres partenaires – ce qui implique en particulier qu'il mette à leur disposition, de façon transparente, les indicateurs que procure le fonctionnement de la plateforme.

Cette transparence est d'ailleurs nécessaire pour que chaque partenaire puisse être sûr que le contrat de partenariat est respecté, que le partage des recettes et dépenses est honnête. Si ce partage n'était pas transparent, le soupçon naîtrait inévitablement et le partenariat déraperait vers un divorce.

La rentabilité hors prime de risque de celui qui exploite la plateforme doit bien sûr être égale à celle des autres partenaires.

L'attitude du « dictateur bienveillant » est à l'opposé des mœurs prédatrices qu'inspire l'interprétation si répandue de la « main invisible » évoquée par Adam Smith, mais l'expérience du logiciel libre montre qu'elle est efficace.

Devant celui qui aura acquis une expertise en ingénierie d'affaire s'ouvre la perspective d'une activité plus large. Il sait mettre en forme un contrat de partenariat et exploiter une plateforme d'intermédiation (traitement et notarisation des transactions, transparence) : ces compétences peuvent servir plusieurs partenariats différents.

On peut prévoir que des offres de « *Business Engineering as a Service* », BEaaS, se diversifieront selon le régime de la concurrence monopolistique, chacune étant adaptée à un contexte culturel, juridique et sociologique particulier.

7. L'orientation stratégique

Les dirigeants des entreprises et de l'État, les économistes, les personnes qui font l'opinion ont-ils pris la mesure des changements que l'informatisation provoque ? Voient-ils clairement les possibilités qu'elle apporte, les dangers qui les accompagnent ? Ont-ils défini l'orientation qui permettra de sortir de la crise économique actuelle ?

Les faits obligent à répondre à ces trois questions par la négative. Le mot « numérique », qui s'est imposé dans le discours politico-médiatique alors qu'il ne désigne que le codage binaire des documents, semble fait pour masquer l'ampleur et la profondeur du phénomène de l'informatisation (il a succédé dans ce rôle au mot « dématérialisation »).

Des causes structurelles, macroéconomiques, sont invoquées pour expliquer la crise (niveau des salaires, des impôts, des taxes, déficit du budget de l'État, etc.) et il est naturellement proposé d'y remédier par des « réformes structurelles ».

L'expérience de la vie dans les entreprises suggère cependant une autre explication : si l'économie est en crise, c'est parce que la majorité des entreprises ne se sont pas adaptées au système technique contemporain, qu'elles sont *mal informatisées*.

Les apports de l'informatisation font d'ailleurs l'objet d'un diagnostic erroné. À l'enthousiasme puéril d'un Michel Serres (2012) font pendant les inquiétudes fantasmatiques de ceux qui, ignorant l'histoire, prétendent que « trop d'information tue l'information » ou que « l'automatisation tue l'emploi ». Ils ne veulent pas voir que le vrai danger réside dans la violence endémique de l'économie du risque maximum, violence à laquelle l'informatisation procure des outils puissants.

Certains croient en outre, comme Jeremy Rifkin (2013), que la révolution industrielle est due non à l'informatisation, mais à la transition énergétique. D'autres (Latouche, 2010) appellent de leurs vœux une *décroissance* dont ils ne perçoivent sans doute pas toutes les implications.

Dans l'attente d'une compréhension et d'une prise en compte pratique des conséquences de l'informatisation, les comportements des agents économiques – consommateurs, entreprises, État – sont donc massivement contraires aux exigences de l'économie informatisée : ils tournent le dos au chemin qui conduit vers l'iconomie.

7.1. Inadéquation des comportements

Depuis les années 1970, la stratégie, saisie par une sorte d'affolement, s'est orientée en France, de façon cohérente mais malencontreuse, au rebours de ce qu'il aurait fallu faire pour tirer parti de l'informatisation et se prémunir contre les risques qu'elle comporte :

– alors que l'informatisation a transformé de fond en comble les conditions pratiques de la production, nombre de dirigeants considèrent l'informatique comme une discipline purement technique, donc pensent-ils ancillaire, et la traitent en conséquence ;

- alors que, dans l'iconomie, la compétitivité se gagne, par l'innovation, en conquérant un monopole temporaire sur un segment des besoins, les entreprises ont misé sur la production de masse de produits standards et sur la concurrence par les prix ;

- alors que les consommateurs doivent se procurer des « effets utiles » (Moati, 2011) en choisissant selon le rapport qualité/prix, la distribution les a incités à rechercher systématiquement le prix le plus bas ;

- alors que les produits doivent être des assemblages de biens et de services, la production des biens a été délocalisée vers des pays à bas salaires et les services ont été négligés ;

- alors que la production doit être réalisée par un réseau de partenaires, une sous-traitance brutale a été préférée aux partenariats entre égaux ;

- alors que l'entreprise emploie non plus de la main-d'œuvre mais du cerveau-d'œuvre, elle a continué à imposer à celui-ci un rapport hiérarchique qui le stérilise ;

- alors que c'est l'État qui a créé la nation et qu'il est l'« institution des institutions » (Hauriou, 1925), son rôle stratégique a été nié en obéissant au dogme néolibéral pour faire place à la concurrence parfaite et à l'autorégulation des marchés ;

- la réglementation européenne, qui adhère elle aussi à ce dogme, a rompu la cohésion des infrastructures (télécoms, chemins de fer, électricité, etc.) en répartissant leurs organes entre des entités qui s'en disputent le résultat ;

- alors que l'endettement de la nation résulte de l'accumulation du déficit de la balance des transactions courantes, l'attention s'est focalisée sur la dette de l'État.

Les entreprises ont été victimes de cette stratégie :

- le secteur financier, mondialisé grâce à l'Internet et automatisé, a été déchaîné par la dérégulation et incité à « produire de l'argent » en parasitant le système productif ;

- la délocalisation a pérennisé des techniques obsolètes et retardé l'investissement que demande l'automatisation ;

- l'effort de R&D s'est le plus souvent limité à la mise en évidence d'idées judicieuses, laissant à d'autres pays le soin d'industrialiser les produits qui les exploitent ;

- comme les services bancaires informatisés blanchissent efficacement les profits du crime organisé, celui-ci s'efforce de contrôler le système productif et rivalise avec l'État pour instaurer un pouvoir politique de type féodal.

L'ensemble de ces comportements a créé les conditions d'une crise économique durable. Il en est résulté un désarroi dans l'opinion : alors que chacun estime avoir droit à la satisfaction de ses besoins et au statut social que confère un emploi, nombreux sont ceux qui se disent hostiles à la science, à la technique et aux entreprises qui les leur procurent.

7.2. Limites de la macroéconomie

L'un des obstacles qui s'opposent à la compréhension de l'informatisation est le raisonnement macroéconomique dont les économistes et les politiques ont pris l'habitude.

Ce raisonnement repose sur la technique de l'« agent représentatif » : le macroéconomiste suppose que l'agrégat des entreprises se comporte comme *une* entreprise, que l'agrégat des consommateurs se comporte comme *un* consommateur, etc.

La politique économique s'est longtemps nourrie du raisonnement macroéconomique car les équations qui formalisaient le « comportement » des agrégats, étalonnées sur les comptes nationaux, l'aidaient à anticiper les conséquences de ses décisions (effet des charges sociales sur l'emploi, de l'impôt sur l'investissement, etc.).

Mais l'approximation qu'implique la technique de l'agent représentatif ne peut fournir de résultats significatifs que si l'agrégat considéré est assez homogène. Or ce n'est plus le cas dans la période de transition qui suit une révolution industrielle : si, aujourd'hui, quelques entreprises sont déjà dans l'iconomie, d'autres restent enfouies dans l'économie moderne et la plupart sont à demi ou mal informatisées. L'agrégat « entreprise » est donc hétérogène, ce qui détruit la crédibilité de son agent représentatif.

La crise n'est d'ailleurs pas due à un mauvais réglage de telle ou telle manette de la macroéconomie (niveau des salaires et des charges sociales, taux de l'impôt sur les sociétés et autres taxes, etc.) : elle est provoquée par l'accumulation des dysfonctionnements qu'une informatisation mal conçue et mal maîtrisée provoque dans des entreprises immatures.

Pour évaluer la maturité du système productif, il faut considérer l'organisation et le fonctionnement des entreprises, ce qui suppose une observation que la macroéconomie ne comporte pas. Le raisonnement macroéconomique ne peut donc pas fournir la clé de la sortie de crise : des « mesures » économiques, des « réformes » sociales, fiscales et autres sont incapables de mettre un terme à une crise dont la cause réside dans l'inadéquation de comportements hérités de l'économie moderne et qui ne conviennent pas dans l'économie informatisée.

7.3. Déployer l'iconomie

La stratégie qui s'impose a une dimension théorique et une dimension pratique.

Dans l'ordre de la théorie, il faut renoncer à l'approche macroéconomique, car dans une période de transition comme celle que nous connaissons les agents économiques sont à des degrés trop divers de maturité pour que l'approximation qui consiste à raisonner sur des agrégats puisse être acceptable : il faut revenir à la microéconomie, comme nous l'avons fait en considérant la fonction de production d'*une* entreprise.

Ce changement de point de vue fournit à la stratégie des entreprises comme à la politique économique les repères intellectuels nécessaires pour sortir de la crise de transition :

– comme l'économie est informatisée, l'efficacité est conditionnée par la qualité de l'informatisation des entreprises – le mot « informatisation » désignant, conformément à son étymologie[9], le déploiement de l'*alliage* du cerveau-d'œuvre et de l'automate programmable ubiquitaire qu'offre l'informatique ;

- comme l'emploi se condense dans le cerveau-d'œuvre, l'entreprise doit avoir renoncé à l'organisation hiérarchique pour mettre en pratique le « commerce de la considération » dans ses relations entre les personnes et les spécialités en interne, ainsi qu'avec ses clients, fournisseurs et partenaires ;
- comme la fonction de production est à coût fixe, chaque produit est un assemblage de biens et de services, élaboré par un partenariat ;
- comme les marchés obéissent au régime de la concurrence monopolistique, la stratégie des entreprises doit être orientée vers la conquête d'un monopole temporaire sur le marché de niche correspondant à un segment des besoins ;
- l'État doit *orienter* les entreprises vers l'iconomie en (1) assurant la qualité de l'informatisation des grands systèmes de la nation (éducatif, sanitaire, judiciaire, fiscal, militaire, etc.), dont il est immédiatement responsable, (2) régulant la concurrence monopolistique, (3) élaborant les lois et règlements qui permettent au système judiciaire de contenir la violence de l'économie du risque maximum, ainsi que l'action des prédateurs.

Le réalisme exige de placer l'iconomie à l'horizon du futur pour orienter l'économie vers la sortie de crise, la restauration du plein-emploi et l'équilibre des échanges avec l'extérieur. C'est en effet la prospérité économique qui conditionne l'équilibre des comptes publics, et non l'inverse.

7.3.1. Informatiser

L'informatisation d'une entreprise est une dynamique qui se concrétise à chaque instant dans ce que l'on appelle, depuis les années 1970, un « système d'information » (Mélèse, 1972). La qualité d'une informatisation s'évalue donc en examinant d'abord l'état du système d'information, puis sa dynamique (Volle, 2011).

L'informatisation efficace de l'entreprise, qui conditionne l'iconomie, passe par la réussite de la coopération du cerveau-d'œuvre et de l'automate programmable. L'informatisation est donc une opération complexe et ceux des informaticiens qui ne veulent considérer que l'algorithmique ont une part de responsabilité dans ses échecs.

Il en est de même des versions extrêmes de l'« intelligence artificielle », qui ambitionnent de doter les systèmes informatiques de capacités intellectuelles identiques à celles des êtres humains. Si, en effet, l'intelligence de l'ordinateur et celle de l'être humain étaient identiques, la question de leur articulation ne se poserait pas, car on ne peut pas concevoir l'articulation de l'identique avec lui-même : ces versions de l'intelligence artificielle ignorent donc les problèmes que pose l'informatisation.

Il ne convient pas de décrire ici en détail la démarche de celle-ci : conformément au schématisme auquel adhère la théorie économique, nous n'en ferons ressortir que les plus grandes lignes.

---

9 Il associe « automate » et « information ». Selon la théorie de l'information de Simondon (1958), l'*information* se manifeste lorsque le cerveau-d'œuvre, rencontrant un document qu'il interprète, en acquiert une compétence. Cette théorie diffère de celle de Shannon (1948), qui considère la taille des documents et la qualité de leur transmission.

Si les concepts sont mal définis, si le vocabulaire est pollué par des synonymes et des homonymes, si chaque filiale, chaque direction use d'une terminologie qui lui est propre, l'informatique ne pourra rien produire d'utile, car la règle « *garbage in, garbage out* » est implacable. L'informatisation ne se réduit donc pas aux techniques de l'informatique : avant qu'un programmeur puisse écrire une première ligne de code, il faut que l'entreprise ait bâti son *ingénierie sémantique* (Volle, 2014).

Cela suppose de comprendre l'action de l'entreprise – ce qu'elle produit, comment elle produit et s'organise, comment elle conçoit ses relations avec ses clients, partenaires et fournisseurs : les concepts s'appuient sur une « ingénierie des exigences » *(requirement engineering)*, qui identifie les *besoins* des utilisateurs du système d'information (et non leur *demande*, qui n'en est qu'une traduction le plus souvent fallacieuse).

Il importe que les « expressions de besoins » soient pertinentes, sobres, cohérentes, et qu'elles soient validées par les responsables légitimes de l'action considérée. Cela suppose que les directions de l'entreprise (ou, comme on dit, ses « métiers ») soient pour l'informatique des *clients compétents* : comme pour la culture ou l'art, la qualité d'une informatisation dépend essentiellement de la maturité de son public.

L'automate programmable s'entrelace avec le cerveau-d'œuvre dans les processus de production, lesquels devront être soumis à une supervision qui vérifie la qualité du produit ainsi que la satisfaction des clients et répond aux pannes et incidents que la complexité de la nature rend inévitables.

Ce schéma suffit, nous semble-t-il, pour que l'on puisse entrevoir l'importance que l'entrepreneur, stratège de l'entreprise, doit accorder à l'informatisation. Il suffit aussi pour porter un diagnostic rapide sur la qualité de l'informatisation d'une entreprise.

La crise économique – manque de compétitivité, faible niveau de la marge d'exploitation, stagnation de l'investissement, déséquilibre de la balance des paiements, etc. – s'explique par l'incompétence de dirigeants qui, se faisant gloire d'ignorer et mépriser l'informatique, ne peuvent rien comprendre à l'économie contemporaine.

La sociologie de la classe dirigeante est l'un des obstacles les plus difficiles à surmonter sur le chemin de l'iconomie : celle-ci ne pourra émerger que lorsque ceux qui occupent la fonction stratégique auront, sans être des experts en informatique, une connaissance intuitive suffisamment *exacte* des contraintes logiques, physiques et psychosociales auxquelles est soumise l'informatisation.

7.3.2. Économie de la compétence

Contrairement à ce que l'on entend souvent dire, l'économie informatisée n'est pas une « économie de la connaissance » ni une « économie du savoir » : c'est une économie du *savoir-faire*, de la connaissance orientée vers l'action, une *économie de la compétence*. On peut d'ailleurs se demander si une connaissance, fût-elle très abstraite, pourrait avoir un sens quelconque si elle n'avait aucun rapport avec l'action.

Comment former les compétences dont l'iconomie a besoin ? Il ne suffit pas de dire qu'il faut informatiser l'enseignement, ni qu'il faut enseigner l'informatique, même si c'est évidemment nécessaire. La transformation que l'informatisation exige est beaucoup plus profonde.

Le système éducatif de l'économie moderne a été conçu pour former une main-d'œuvre nombreuse, auxiliaire de la machine, dont la compétence se réduit à comprendre et exécuter fidèlement les ordres reçus. Il forme aussi des cadres en plus petit nombre et des dirigeants encore moins nombreux, la proportion des niveaux de la pyramide répondant aux besoins de l'organisation hiérarchique. Celle-ci ne demande rien d'autre au cerveau de la main-d'œuvre que la coordination réflexe de gestes répétitifs nécessaires à la production.

Le système éducatif hérité de l'économie moderne considère donc le cerveau comme un récipient dans lequel le pédagogue et le formateur doivent déverser des connaissances.

Le système éducatif de l'iconomie considère en revanche le cerveau comme une ressource naturelle, donc comme un *potentiel* dont il s'agit de susciter le déploiement. Certes, cette conception n'a rien de radicalement nouveau, car elle a depuis longtemps été mise en pratique par certains pédagogues, et certaines entreprises ont su mobiliser le cerveau de leurs ouvriers pour recueillir leurs idées.

Mais de telles situations, d'ailleurs exceptionnelles, n'ont pas pu effacer les contraintes physiques et pratiques de l'économie moderne, qui imposaient au système productif le rapport social de la main-d'œuvre et exigeaient que le système éducatif préparât à ce rapport social. Certains ont déploré le gâchis humain que cela impliquait, mais ils n'ont rien pu faire d'autre que d'aider ceux qui semblaient les plus intelligents à grimper la pyramide hiérarchique.

L'informatisation change la situation, car le déploiement de la ressource cérébrale, qui semblait auparavant inutile ou impossible, est pour elle une nécessité. C'est pourquoi le cerveau n'apparaît plus comme un réceptacle vide à remplir de connaissances, mais comme le détenteur d'un potentiel mental : il s'agit de lui faire acquérir des compétences et non plus seulement des *connaissances*.

Le pédagogue n'est plus alors celui qui s'efforce de transmettre un savoir à des cerveaux plus ou moins réticents, mais un éducateur qui aide la ressource cérébrale à se déployer. La transmission des connaissances n'est plus le but de la pédagogie mais le levier, certes nécessaire, qui facilitera ce déploiement.

L'iconomie offre ainsi à la pédagogie la perspective d'une amélioration de la qualité culturelle et scientifique de l'enseignement, allant de pair avec une restauration de la mission, de la dignité professionnelle et du rôle social du professeur.

Certains prétendront que tout cela est utopique parce que, diront-ils, « les gens ne s'intéressent ni à la culture, ni à la science ». C'est ignorer que la nature dote chaque génération du même potentiel cérébral : il se trouve parmi nous autant de Platon et de Léonard de Vinci en puissance que dans l'Athènes antique et à la Renaissance.

Si certaines générations ont su construire une civilisation, c'est parce qu'elles ont rencontré une société qui respectait et encourageait la qualité des œuvres de l'esprit (le logiciel en est une). L'iconomie nous y invite.

7.3.3. Contenir la prédation

L'économie du risque maximum est naturellement tentée par la violence : la corruption facilite la conquête et la conservation des marchés, l'espionnage aide à riposter aux initiatives des concurrents.

L'ubiquité que procure le réseau, la vitesse des processeurs, la complication des programmes informatiques ont procuré aux acteurs une puissance nouvelle et, en même temps, la possibilité de cacher ses effets : l'informatisation offre à la violence des outils qui l'amplifient.

La *blanchiment* informatisé, difficilement détectable, permet ainsi au crime organisé de recycler ses produits en prenant le contrôle d'entreprises qu'il détourne de leur mission (Saviano, 2006 ; Robert et Backes, 2001).

L'informatisation a incité la banque à se détourner de son métier historique, l'arbitrage entre le rendement et le risque, pour « produire de l'argent » en faisant porter le risque par d'autres, comme l'a révélé l'affaire des *subprimes*. Elle propose aussi à certains de ses clients une assistance à l'abus de biens sociaux, la fraude fiscale et le blanchiment. Le montant des amendes que certaines banques paient pour éviter la publicité négative qu'apporterait un procès atteste de ce glissement de la banque vers la délinquance (Gayraud, 2011).

Un comportement et un style de vie ostentatoires se sont répandus : la rémunération de certains *traders* et dirigeants atteint un tel montant qu'il ne s'agit plus du salaire d'un travail, mais de l'appropriation d'un patrimoine.

La *prédation* consiste à s'emparer d'un bien sans rien donner en échange : la société féodale l'équilibrait approximativement par la charité. La théorie économique, construite autour de l'hypothèse de l'échange équilibré et adaptée à l'économie moderne, a supposé la prédation négligeable. Elle doit tenir compte aujourd'hui de la dialectique qui s'instaure dans l'économie informatisée entre l'échange équilibré et la prédation (Volle, 2008).

Certains évoquent avec complaisance des dangers illusoires : trop d'information tuerait l'information, l'automatisation tuerait l'emploi, la croissance tuerait la nature, etc. Ces fantasmes désarment contre le véritable danger, celui d'un *retour au régime féodal*.

S'il se produisait, l'économie ultra-moderne que fait émerger l'informatisation renouerait avec des comportements que l'on a crus archaïques : l'économie de marché et l'État de droit auraient caractérisé un bref épisode transitoire.

L'iconomie exige une législation assez pertinente et un système judiciaire assez compétent pour pouvoir contenir la prédation. L'informatisation nous enjoint de choisir ainsi entre une civilisation, celle de l'iconomie, et une barbarie.

Cela suppose de revenir aux *valeurs* que notre société entend promouvoir. Elles étaient tellement habituelles dans l'économie moderne qu'elles étaient devenues implicites. L'informatisation, ayant changé la nature à laquelle l'action est confrontée, nous contraint à interroger notre histoire pour tirer au clair ce que nous voulons *faire* et ce que nous voulons *être*.

Les travaux que Philippe d'Iribarne (2006) a consacré à notre République éclairent utilement, au plan anthropologique, le chemin qui pourrait être celui de la France vers l'iconomie.

Références

Chamberlin, E., (1933), *The Theory of Monopolistic Competition*, Harvard University Press.

Debonneuil, M., (2007), *L'espoir économique : Vers la révolution du quaternaire*, Bourin.

Debreu, G., (1959), *Theory of Value: An Axiomatic Analysis of Economic Equilibrium*, Yale University Press.

Demotes-Mainard, M., (2003), « La connaissance statistique de l'immatériel », INSEE.

D'Iribarne, P., (2006), *L'Étrangeté française*, Le Seuil.

Edgeworth, F., (1881), *Mathematical Psychics*, Kegan Paul.

Robert, D. et Backes, E., (2001), *Révélation$*, Les Arènes.

Dixit, A. et Stiglitz, R., (1977), "Monopolistic Competition and Optimum Product Diversity", *American Economic Review*.

Cobb, C. et Douglas, P., (1928), "A theory of production", *American Economic Review*.

Helpman, E. et Krugman, P., (1985), *Market Structure and Foreign Trade*, MIT Press.

Fisher, I., (1906), *The Nature of Capital and Income*, Macmillan.

Fixari, D., (1977), "Le calcul économique ou de lutilisation des modèles irréalistes", *Annales des Mines*, avril.

Flichy, P., (2003), *L'innovation technique*, La Découverte.

Gayraud, J.-F., (2011), *La grande fraude*, Odile Jacob.

Gille, B., (1978), *Histoire des techniques*, Gallimard, « Pléiade ».

Hauriou, M., (1925), *Théorie des institutions et de la fondation*.

Hicks, J., (1939), *Value and Capital*, Oxford University Press.

IC Insights, (2013), "Qualcomm and Samsung Pass AMD in MPU Ranking", Technical Report.

Isaacson, W., (2011), *Steve Jobs*, Simon & Schuster.

Jancovici, J.-M., (2013), *Transition énergétique pour tous : ce que les politiques n'osent pas vous dire*, Odile Jacob.

Latouche, S., (2010), *Le pari de la décroissance*, Fayard.

Leontief, W., (1941), *The Structure of the American Economy 1919-1929*, Harvard University Press.

Linhart, R., (1978), *L'établi*, Éditions de Minuit.

Benghozi, P.-J., Bureau, S., Massit-Folléa, F., (2009), *L'internet des objets : quels enjeux pour l'Europe ?*, Maison des sciences de l'homme.

Mélèse, J., (1972), *L'analyse modulaire des systèmes de gestion*, Hommes et techniques.

Moati, P., (2011), *La nouvelle révolution commerciale*, Odile Jacob.

Ohlin, B., (1933), *Interregional and International Trade*.

Pareto, V., (1906), *Manuale di Economia politica*, Società editrice libraria.

Printz, J., (2006), *Architecture logicielle*, Dunod.

Ramsey, F., (1928), "A Mathematical Theory of Saving", *Economic Journal*.

Ricardo, D., (1817), *On the Pinciples of Political Economy and Taxation*.

Rifkin, J., (2013), *The Third Industrial Revolution*, Palgrave Macmillan.

Robinson, J., (1933), *The Economics of Imperfect Competition*, Macmillan.

Saint-Etienne, C., (2013), *L'iconomie*, Odile Jacob.

Saviano, R., (2006), *Gomorra*, Mondadori.

Serres, M., (2012), *Petite Poucette*, Le Pommier.

Shannon, C., (1948), "A Mathematical Theory of Communication", *Bell Systems Technical Journal*.

Simondon, G., (1958), *Du mode d'existence des objets techniques*, Aubier.

Solow, R., (1956), "A contribution to the theory of economic growth", *The Quarterly Journal of Economics*.

Tirole, J., (1993), *Théorie de l'organisation industrielle*, Economica.

Volle, M., (2000), *e-conomie*, Economica.

Volle, M., (2006), *De l'informatique : savoir vivre avec l'automate*, Economica.

Volle, M., (2008), *Prédation et prédateurs*, Economica.

Volle, M., (2011), « Systèmes d'information », *Encyclopédie des techniques de l'ingénieur*.

Volle, M., (2014), *iconomie*, Economica.

Volle, M., (2014), *Philosophie de l'action et langage de l'informatique*, Manucius.

PARTIE 2

Les nouveaux modèles en action

SOMMAIRE

Chapitre 3

La ville intelligente, l'iconomie et l'évolution nécessaire du management public

*Claude Rochet**

Sommaire

* Professeur des universités IMPGT CERGAM AMU (Aix Marseille Université)

Ville intelligente, *smart city*, écosystème urbain, ville verte : tous ces termes produisent un discours consensuel où chacun y va de sa technologie pour nous rendre intelligents. L'adhésion à ce discours devient de l'ordre du rite. Le discours public, loin d'être épargné, se doit de surenchérir et d'en faire toujours plus pour « sauver la planète ». Comme toutes les disciplines managériales, il est du lot du management public d'être envahi par des « buzzwords », du prêt-à-penser, des mots-valises que tout acteur public se doit de transporter en se dispensant d'en vérifier le contenu.

Mais tout comme la vague de l'Internet vit apparaître l'e-citoyen usager – rapidement usagé – de l'e-administration, pour donner finalement naissance aujourd'hui à une intelligence de l'iconomie, il y a là des enjeux stratégiques qui ne peuvent se contenter de mots-valises qui consisteraient à « mettre du rouge à lèvre à un bouledogue », pour reprendre l'expression de Rosabeth Moss-Kanter.

La ville durable s'inscrit à la confluence d'un double mouvement : le mouvement à long terme d'industrialisation et d'urbanisation, commencé avec la seconde révolution industrielle dans la seconde moitié du XIXe siècle, qui touche aujourd'hui l'ensemble des pays émergents avec une croissance considérable du taux de population urbaine, et celui plus récent de la troisième révolution industrielle – l'iconomie –, où les technologies numériques devenues technologies génériques (*General Purpose Technologies*, GPT) permettent de repenser radicalement la conception et la gestion des villes.

1. Pourquoi et comment la ville durable est devenue l'enjeu du développement

Pour l'économie standard (l'économie néoclassique) et son prolongement dans la gestion publique (le *New Public Management*), le territoire est une valeur neutre. Il est au mieux un facteur d'attraction en fonction d'attributs quantitatifs (les infrastructures, les coûts salariaux...), mais fondamentalement tous les territoires, comme toutes les activités économiques, se valent : la ville n'est qu'un artefact matériel dont la performance obéit à des règles standard d'insertion dans l'économie mondialisée. C'est là l'oubli que la ville est historiquement le cœur de la création de richesse, s'inscrit dans une histoire, une culture et une philosophie des institutions.

1.1. Ibn Khaldoun, premier sociologue de la vie urbaine

Ibn Khaldoun (1332-1406) est sans doute le premier à avoir caractérisé le développement comme une succession de cycles où société rurale et société urbaine fonctionnent comme un système, avec des cycles en cinq phases. Dans la première, le chef du groupe tribal, porteur de la force que lui procure l'*asabiyya* – la vertu de la cohésion sociale du groupe, que l'on peut rapprocher du républicanisme classique de la Renaissance européenne que l'on retrouvera dans la *virtù* de Machiavel – obtient l'allégeance d'autres groupes tribaux qui s'assemblent dans des villes. Dans la seconde phase, la ville se développe et développe l'économie. Cette synergie entre urbanisation et prospérité est l'intuition fondamentale d'Ibn Khaldoun, qui la situe durant la troisième phase : pouvoir fort et économie dynamique permettent la perception des impôts et favorisent le développement de l'urbanisme, des techniques, des arts et des lettres. Puis vient le déclin au cours de la quatrième phase, l'*asabiyya* s'affaiblit, on devient dépendant des biens matériels, les dépenses publiques ne sont plus liées au développement et les impôts augmentent, aux dépens de l'activité économique. La cinquième phase voit la perte de légitimité du pouvoir, le déclin de la ville et l'émergence d'un nouveau pouvoir tribal porteur d'*asabiyya*. Remarquable précurseur de la sociologie moderne et de l'économie évolutionniste, Ibn Khaldoun établi la corrélation entre vertu politique, cohésion sociale, urbanisation et développement, selon des cycles d'une durée (qu'il évaluait à trois générations) que l'on retrouvera chez Schumpeter et ses successeurs (Lacoste, 1998).

1.2. La Renaissance, quand les villes étaient des écosystèmes durables

Selon un proverbe allemand du XVe siècle, « l'air de la ville rend libre ». Historiquement, la ville a été identifiée par les premiers analystes de l'économie comme le lieu où se créent les synergies entre activités à rendement croissant. La fresque d'Ambroggio Lorenzetti *Les effets du bon gouvernement* (1338), à l'Hôtel de ville de Sienne, établit une corrélation entre prospérité des activités économiques et régime politique, la démocratie directe républicaine, illustrée par la rotation au pouvoir des neufs sages, assurant le pouvoir du grand nombre des petits contre le petit nombre des grands. Bien commun, bien individuel et prospérité économique forment les éléments d'un système cohérent qui illustre en Europe les caractéristiques identifiées au Maghreb par Ibn Khaldoun.

Le Napolitain Serra (1613) compare ainsi Venise, ville sans terre ferme agricole et Naples, qui en abonde. Venise a été une ville durable grâce à la synergie entre ses activités industrielles (notamment la construction navale), ses activités marchandes et sa puissance militaire. Elle commence à péricliter avec le déplacement de la polarité du monde développé de la Méditerranée vers l'Atlantique. À l'opposé, Naples, vice-royauté de la couronne d'Espagne, dotée d'une grande richesse agricole et du numéraire venu du Nouveau Monde, n'a pas été capable de penser son développement industriel[1] et de sortir du féodalisme (Reinert, 2011).

L'interaction entre une ville et son environnement a été modélisée par Johan Heinrich Von Thünen au XVIIIe siècle : à la ville-centre vont les plus fortes synergies entre les activités à rendement croissant – les activités industrielles –, puis les activités à rendement de plus en plus décroissant s'organisent en six zones concentriques – les activités primaires et les services – et le coût du transport augmente, définissant une frontière de ce que Fernand Braudel appellera une « économie-monde » (Schwartz, 2010).

1 Naples fera une tentative d'industrialisation avec la prise du pouvoir par les Républicains en 1799, mais ils durent capituler devant les canons de l'amiral Nelson, qui, malgré le traité de paix signé avec Naples, fera exécuter sommairement les dirigeants républicains. Ceux-ci avaient depuis longtemps envoyé des messages à destination de la France, dénonçant la propagande anglaise quant aux supposées recettes de leurs succès pour détourner les concurrents du véritable objectif : la puissance et l'industrialisation. Naples deviendra, sous domination anglaise, « l'atelier du monde » dont le commerce extérieur dépendait entièrement de la marine anglaise. En 1823, Naples tenta de lancer une politique d'industrialisation sous protection tarifaire et devint rapidement la ville la plus industrialisée d'Italie, mais la Grande-Bretagne entreprit des représailles qui forcèrent Naples à abandonner (Reinert, S., (2011), p. 179).

Dans ces conceptions issues de la Renaissance, la ville est un écosystème stable basé sur la cohérence politique – la poursuite du Bien commun comme finalité politique, « la grandeur de la Cité, c'est le Bien commun » (Machiavel) – et les synergies entre activités économiques inscrites dans l'espace. La pensée politique et la dynamique des institutions émergent de la dynamique de la ville et de son lien avec le développement économique par la recherche des rendements croissants (Reinert, 2011).

La ville était un système intelligent car apprenant des enseignements de l'histoire : on observait ce qui marchait et les plans de ville avaient une cohérence qui mettait en valeur le site et les interactions pertinentes entre activités économiques et politiques. Cet apprentissage reposait sur les rétroactions de l'effet sur la cause, et son « pas de temps » était celui d'une génération, alors qu'il va devenir instantané dans l'iconomie.

1.3. Comment les villes sont-elles devenues inintelligentes ?

Avec la seconde révolution industrielle de la fin du XIXe siècle, la croissance de la ville devient guidée principalement par la recherche des rendements d'échelles, aux dépens des solidarités sociales et de la vie civique, comme l'a analysé Emile Durkheim (1893).

Le point critique dans la dynamique de ce système est la frontière entre la ville et ses périphéries. Par définition, un système est différencié de son environnement par une frontière (sans quoi il n'existerait pas et ne serait donc pas pilotable), qui définit ce qui est « dedans » et modélisable dans le cas d'un système conservatif, et ce qui est « dehors », qui est constitué de paramètres exogènes dont le nombre et la variabilité définissent la turbulence de l'environnement (Krob, 2009). Cette frontière caractérise l'écosystème urbain en ce qu'il est cohérent et stable, créant des richesses par des activités internes et n'important que ce qu'il est pertinent d'importer. Par ailleurs, l'extension de la ville est matériellement inscrite dans un espace géographique. Avant la seconde révolution industrielle et le développement des télécommunications, la distance structurait la ville et sa périphérie et sa mesure était la vitesse de propagation de l'information – un homme à cheval, en bateau puis en chemin de fer. La seconde révolution industrielle permet un première « mort de la distance », qui n'est plus l'élément structurant de ces écosystèmes territoriaux et la fin des « zones à la Thünen ». La conséquence en a été la croissance urbaine en « taches d'huile », avec celle de la consommation d'énergie, et le développement d'une urbanisation dysfonctionnelle, dénoncée par Jane Jacobs (1984), entre les fonctions d'habitation, de travail et d'administration.

Les « mathématiques de la ville », développées sous l'impulsion de Geoffrey West et de Luis Bettencourt (2007) au Santa Fe Institute, permettent de comprendre ce phénomène : elles démontrent l'existence d'une relation statistique sublinéaire entre la taille de la ville et le coût de ses infrastructures qui n'augmente que de 0,75 quand la ville croît de 1, et d'une relation supralinéaire entre cette taille et les activités, de 1 à 1,15 : cela concerne toutes les activités, la richesse, l'instruction mais aussi le crime, la drogue et la pollution. West montre qu'une ville peut croître à l'infini, ainsi que ses externalités négatives et positives, à la différence d'une entreprise, qui ne pourra maintenir une cohérence interne au-delà d'une certaine taille et qui verra sa productivité par travailleur décroître avec leur nombre.

Les mathématiques de Geoffrey West viennent apporter un support scientifique aux intuitions empiriques de Jane Jacobs, qui insistait sur la nécessaire dimension « village » à conserver dans une ville pour y permettre des interactions créatrices entre les habitants et leurs activités et faire fructifier le capital social. Pour Jacobs, la richesse n'est pas produite par l'accumulation d'actifs urbains (comme les grandes opérations de rénovation urbaine), mais par la capacité des habitants à s'engager dans la production de ces actifs et celle du système urbain à s'adapter aux changements des circonstances. L'erreur de la politique urbaine, souligne-t-elle, a été de rationaliser la ville et de la spécialiser sur quelques fonctions en important les autres, alors que la richesse est créée par l'interaction entre l'ensemble des activités urbaines, considérées en elles-mêmes comme non rentables, et qu'il est préférable de prôner la substitution aux importations extérieur/ville par des activités urbaines diversifiées.

La « mort de la distance » fait que les zones à la Thünen peuvent s'étendre au monde entier[2]. La ville proprement dite va se concentrer sur les activités à haute valeur ajoutée et propres, tandis que les activités polluantes et à conditions de travail dégradées seront rejetées dans de lointaines périphéries délocalisées, notamment au nom de la doctrine formulée par le secrétaire d'État américain Lawrence Summers[3]. Ainsi, même si une ville peut paraître « verte » dans son périmètre administratif, l'évaluation de son écosystème doit intégrer les externalités des activités délocalisées. Par exemple, le bilan carbone d'une « ville verte » doit intégrer le CO_2 importé : la ville peut être verte, mais l'écosystème gris foncé.

1.4. La non-durabilité est devenue un obstacle au développement

Ce modèle urbain est non durable en ce qu'il ne peut gérer la réduction des atteintes à l'environnement (consommation de ressources fossiles et production de déchets), les atteintes à son propre capital social et humain et devient un obstacle au développement. Il n'est pas intelligent au sens où il consomme de plus en plus d'énergie, rejette de plus en plus de déchets et ne contient aucune dynamique qui lui permette d'enrayer cette dérive.

Il connaît au moins trois goulots d'étranglement : la consommation d'énergie, la pollution et les coûts sociaux (stress, santé, criminalité...) induits par une croissance

2 La ville de Séné (Morbihan) a choisi d'importer du granit chinois pour refaire son artère principale, de préférence au granit breton.

3 Formulée dans le mémo de Lawrence Summers, secrétaire d'État au Trésor de l'administration Clinton, selon lequel il est plus rationnel de délocaliser les activités polluantes vers les pays non industrialisés. « Les pays sous-peuplés d'Afrique sont largement sous-pollués ; la qualité de l'air y est probablement d'un niveau inutilement élevé par rapport à Los Angeles ou Mexico [...] Il faut encourager une migration plus importante des industries polluantes vers les pays les moins avancés [...] et se préoccuper davantage d'un facteur aggravant les risques d'un cancer de la prostate dans un pays où les gens vivent assez vieux pour avoir cette maladie, que dans un autre pays où deux cents enfants sur mille meurent avant d'avoir l'âge de cinq ans. [...] Le calcul du coût d'une pollution dangereuse pour la santé dépend des profits absorbés par l'accroissement de la morbidité et de la mortalité. De ce point de vue, une certaine dose de pollution devrait exister dans les pays où ce coût est le plus faible, autrement dit où les salaires sont les plus bas. Je pense que la logique économique qui veut que des masses de déchets toxiques soient déversées là où les salaires sont les plus faibles est imparable. »

urbaine dysfonctionnelle. Il faut y ajouter le coût de renouvellement des infrastructures, qui devient considérable sans apporter un mieux au modèle actuel de la ville s'il est entrepris à modèle d'affaires constant, alors qu'il peut être une opportunité d'innovation. Le considérer comme coût de gestion va entraîner le report des investissements nécessaires, alors que, *a minima*, si l'on intègre dans le calcul des coûts leur impact sur les externalités, l'opération est largement bénéficiaire.

Contre-intuitivement, l'enjeu du développement urbain durable se focalise plus sur les pays en développement, car l'empreinte écologique croît avec le niveau de consommation (+ 57 % à chaque doublement du niveau de consommation), et sur les petites villes (au-dessous d'un million) qui croissent le plus vite.

L'Association américaine des ingénieurs civils calcule que le manque d'investissement dans la gestion de l'eau se traduit par un surcoût pour le monde économique de 147 milliards de dollars et de 59 pour les ménages, qui supporteront à l'horizon 2020 un surcoût de 900 dollars pour le traitement de l'eau.

L'investissement requis est de 84 milliards de dollars, qui se traduiraient par une réduction des coûts pour les entreprises, la protection de 700 000 emplois, 541 milliards en revenu des ménages, 460 en PIB et six en export. Le même calcul a été fait pour la rénovation du réseau électrique et du réseau de transport, les ports, les canaux, les aéroports. Dans tous les cas de figure, le retour sur investissement en impact sur le PIB, les exportations, les emplois et le budget des ménages est appréciable.

Le coût de l'obsolescence des infrastructures aux États-Unis

- 28 milliards de litres d'eau potable perdus par jour du fait des fuites des réseaux.
- 40 milliards de litres d'eau usée non traitée rejetés dans les canaux chaque année.
- 254 millions de tonnes de déchets solides.
- 4 milliards d'heures perdues par an par les automobilistes chaque année, avec leur coût en temps et en carburant.
- Un pont sur quatre est soit structurellement déficient, soit fonctionnellement obsolète.

Source : Association Américaine des Ingénieurs Civils, 2014.

Le modèle économique actuel de la décision publique est caractérisé par le report des investissements, du fait des politiques, suivies depuis la décennie 1980, de désengagement de la puissance publique. La question du modèle économique de la décision publique et de sa capacité à intégrer l'ensemble des externalités liées à ces investissements dans ses décisions va donc être posée par la problématique de la ville intelligente.

Mais **c'est du côté des pays émergents que les enjeux de la transition vers la ville intelligente sont les plus prégnants** :

– La croissance urbaine va y être très forte et l'impact environnemental d'autant plus élevé que le niveau de vie va s'accroître. D'une part, ce développement ne permettra plus aux pays développés pollueurs d'externaliser leurs activités polluantes vers des pays émergents et en développement. D'autre part, du seul point de vue de la consommation énergétique, si les pays émergents adoptent le même modèle que les pays développés, la situation ne sera pas soutenable, la consommation dépassant rapidement celle des pays développés dans les trente ans à venir.

– L'expérience des pays développés montre que **le coût pour corriger une ville conçue de manière dysfonctionnelle** (par exemple, les villes américaines conçues pour l'automobile) **est de loin supérieur aux coûts à investir en amont pour construire une ville durable.** Ce phénomène est bien connu des architectes système : un système dont la scalabilité n'a pas été pensée voit son développement se faire par addition de couches successives produisant une « architecture spaghetti », qui devient illisible et dans laquelle il devient très compliqué et très coûteux d'intervenir, avec des résultats peu fiables. Le phénomène est d'autant plus prégnant aux États-Unis, où les intervenants sur les infrastructures sont nombreux. C'est ce type de problème qui a stimulé le développement des méthodes d'architecture – dénommées par analogie « urbanisation » – des systèmes d'information où le problème de l'architecture spaghetti est d'autant plus prégnant qu'elle est immatérielle.

L'urbanisation des pays émergents est donc critique, tant par son volume que par sa nature, puisque l'investissement dans la durabilité doit se faire en amont dès la conception. Le bilan du développement urbain en Chine, qui a imité le modèle occidental avec des conséquences dramatiques en matière de consommation d'énergie, de pollution, de production des déchets et de qualité de la vie dégradée par des villes dysfonctionnelles, montre la nécessité d'une planification urbaine qui intègre ces contraintes dès l'amont.

– Ces pays n'ont toutefois pas les ressources financières, ni surtout technologiques, pour développer ces approches intégratrices. Les entreprises occidentales vont donc être très sollicitées pour assurer des transferts de technologies, en même temps que se développeront chez les émergents des stratégies ambitieuses de maîtrise des capacités technologiques. L'étude des documents d'orientation stratégique de la Chine, de pays d'Amérique latine, du Maroc révèle le souci de développer des **approches intégratives** plutôt que projet par projet, par des politiques publiques ambitieuses qui soulignent leur nécessaire dimension holistique en mettant l'accent sur la cohérence des politiques sectorielles et des initiatives centrales et locales.

2. Les capacités stratégiques à développer par l'État

Si l'on pose comme hypothèse que la ville durable est une ville intelligente capable d'apprentissage grâce aux boucles de rétroaction qu'elle génère avec son environnement, elle se comporte comme un écosystème, et est donc capable de faire évoluer par elle-même ses propres règles de fonctionnement. En science des systèmes et en économie institutionnelle, c'est un système autorégulateur, ce qui suppose qu'il ait en son cœur, à l'image des systèmes naturels, un code génétique. Les recherches en architecture des systèmes complexes – le biomimétisme (Benyus, 2011) – montrent qu'à travers un long processus d'essais et d'erreurs (3,8 milliards d'années de R&D, selon l'expression de Janine Benyus), la nature est parvenue à concevoir des systèmes aussi résilients que complexes basés sur une énergie renouvelable : le soleil.

Dans l'iconomie, la puissance de calcul des ordinateurs, la masse des données qu'ils peuvent traiter, le développement de langages logiciels permettant de modéliser les villes comme systèmes de systèmes[4] (SoS) peuvent créer ce code, là où le management public classique devait se contenter de gérer quelques fonctions peu connectées les unes aux autres (habitat, travail, infrastructures, énergie...), en étant contraint de procéder par rattrapage des effets négatifs induits par des erreurs de modélisation, alors même que la mondialisation crée continuellement de la complexité non maîtrisée.

L'histoire du développement économique nous enseigne que la dynamique endogène des systèmes urbains est capable de faire émerger au fil du temps des institutions auto-renforçantes (Greif, 2006), mais que cela n'écarte pas pour autant l'intervention exogène d'un acteur fixant les règles du jeu – les institutions – appropriées au développement, l'État. Cette dynamique est toujours présente dans l'iconomie, mais elle met en œuvre beaucoup de paramètres et beaucoup plus rapidement. Là où les rétroactions entre causes et effets, à la base de l'apprentissage, prenaient *a minima* une génération, elles peuvent être désormais de l'ordre de la milliseconde.

Il ne saurait donc être question de laisser se développer des systèmes urbains dont le cœur est basé sur les technologies numériques aux mains de grands acteurs capables d'avoir la maîtrise du système[5]. La vieille question de l'économie institutionnelle se pose avec d'autant plus d'acuité : « **Qui va réguler les régulateurs ?** ».

Ce qui met à l'ordre du jour de l'État stratège le développement de capacités d'architecture de systèmes de systèmes, que nous avons englobées dans le concept d'ULM – *Urban Lifecycle Management* (Rochet, 2014). Au lieu de penser la technologie comme *exogène* au développement en accumulant par addition les composants technologiques à la surface d'un tissu urbain dysfonctionnel, il s'agit de penser la technologie comme un levier *endogène* de transformation. Alors que les pays émergents, Chine en tête, pensent aujourd'hui la ville comme un système global intégré, les Occidentaux continuent à la penser comme une somme de systèmes pour lesquels ils ont une offre commerciale, quand bien même la politique urbaine de l'Occident est largement un échec. La stratégie urbaine chinoise reconnaît aujourd'hui l'erreur d'avoir imité l'Occident, alors que Singapour est une réussite qui se conçoit comme un tout, une nation intelligente plus qu'une ville intelligente[6], et fait aujourd'hui référence pour le développement urbain.

---

4 Selon la définition donnée par l'AFIS (Association française d'ingénierie système) : « Un système de systèmes résulte du fonctionnement collaboratif de systèmes constituants qui peuvent fonctionner de façon autonome pour remplir leur propre mission opérationnelle. On recherche par cette collaboration l'émergence de nouveaux comportements exploités pour améliorer les capacités de chaque système constituant ou en offrir de nouvelles, tout en garantissant l'indépendance opérationnelle et managériale des systèmes constituants. » Ces systèmes peuvent avoir des lois de comportements très hétérogènes, à commencer par les systèmes conservatifs qui obéissent aux lois de la physique (comme les *smart grids*) et les systèmes humains, dont le fonctionnement ne peut être modélisé par des lois physiques.

5 Les GAFA (Google, Facebook, Apple, Amazon), toutes sociétés américaines, pèsent autant que le CAC 40.

6 Speech by Prime Minister Lee Hsien Loong at Founders Forum Smart Nation Singapore Reception, on 20 April 2015 [Discours du Premier ministre Lee Hsien Loong au Founders Forum Smart Nation Singapore Reception, le 20 avril 2015].

Ces capacités devront donc permettre d'affronter deux enjeux : maîtriser les principes de l'innovation dans l'iconomie pour concevoir le code[7], et permettre sa durabilité en lui conférant ses propriétés « éco » systémiques par son propre fonctionnement, assuré par la vie même de la ville :

– La ville n'est pas intelligente parce qu'elle est numérique : la connexion de tout avec tout, la capacité intrusive du traitement de masse des données et la menace sur la confidentialité des données peuvent vite faire dériver la ville vers le panoptique de Jérémie Bentham[8].

– La conception d'écosystèmes complexes ne peut être assurée par des démarches de planification descendant d'une autorité publique qui définit des « master plans », dans lesquels le père de l'architecture système contemporaine, Christopher Alexander (1977), voyait les germes d'un ordre totalitaire incapable d'évolution organique. Les nouvelles approches de l'innovation, basées sur les systèmes complexes (Von Hippel, 1986), soulignent la nécessité d'intégrer l'utilisateur final, l'habitant, qui sera non seulement un utilisateur mais également un producteur d'information, et que la littérature désigne désormais sous le terme de « *prod-user* ».

– Le numérique en lui-même pose des questions radicalement nouvelles et est en même temps une solution et un problème. Prenons le cas des calculateurs et des entrepôts de données. Leur puissance est la condition de la performance de la ville intelligente. Mais cette puissance produit d'une part une énergie considérable et, d'autre part, la fabrication de ces machines consomme également de l'énergie et beaucoup d'eau. La recherche à l'ordre du jour est donc de définir des machines qui se comportent comme des « prosommateurs » : au lieu de consommer encore plus d'énergie pour refroidir ces machines, il s'agit d'utiliser leur puissance de calcul pour optimiser leur approvisionnement en différentes sources d'énergies et d'intégrer leur production d'énergie dans la conception de la ville. De nombreux sites pilotes existent, mais le bilan est à ce jour loin d'être optimal[9].

– Le code génétique de la ville intelligente ainsi conçu devra être nourri par la dynamique d'institutions auto-renforçantes, basées sur la vie des habitants. Ainsi à Christchurch, Nouvelle-Zélande, ville détruite durant un tremblement de terre en 2011, on voit deux approches se confronter : celle du gouvernement, qui a créé une agence unique de reconstruction au nom de l'efficience, et celle de la maire de la ville, qui voit au contraire dans l'initiative des habitants la meilleure garantie de la résilience de la ville. La principale source de discussion étant la question de la densité : une ville plus dense favorisant les synergies et économisant l'énergie et une ville plus dispersée donnant à chacun plus d'espace.

---

7 Dans une approche inspirée du biomimétisme, il s'agit ici du code génétique au sens large, soit le code informatique du système d'exploitation de la ville, mais aussi – et peut-être surtout – le code social et culturel des systèmes humains qui ne peuvent être transcrits en code informatique.

8 En 1786, le philosophe anglais Jeremy Bentham (1748-1832) pense une nouvelle forme architecturale qui mettrait fin au scandale de l'insalubrité et du croupissement dans les prisons : le panoptique, par sa conception garantissant une surveillance généralisée, permet d'organiser la condition du prisonnier en vue de sa profitabilité à la société. L'obsession utilitariste laissant de côté toute éthique confine à l'utopie totalitaire. Cette idée de progrès n'alla pas sans séduire quelques esprits de la Révolution française, puisqu'un député en présenta la synthèse traduite par Étienne Dumont à l'Assemblée, en 1791.

9 Le premier centre de données à énergie positive devrait ouvrir en Suède en 2016.

– Qu'il s'agisse de ville intelligente comme de territoire intelligent, l'art devient de considérer les dynamiques territoriales ancrées dans l'espace physique, telles qu'analysées par le GREMI de l'Université de Neuchâtel, qui restent à la base de tout système vivant, et les dynamiques de réseaux virtuels offertes au territoire et à la ville connectée comme sources de l'innovation territoriale. Peuvent ainsi se créer des « dynamiques territoriales de connaissances » (Crevoisier, 2010), dont la conception et l'animation reposent sur l'existence d'un acteur pivot. En l'absence d'une tradition ancrée de coopération, comme illustrée par les exemples emblématiques du Choletais en France et de l'industrie horlogère suisse, l'acteur public est le mieux placé – pour autant qu'il comprenne ce rôle et développe les compétences appropriées – pour jouer le rôle de pivot et d'intégrateur alors qu'une firme, quelles que soient sa culture et sa pratique de la « coopétition », n'est pas la mieux placée pour incarner le bien commun du système. Ce rôle consistera bien sûr à développer les infrastructures numériques à haut débit, mais surtout à stimuler la création de réseaux de connaissance comme les KIBS (*Knowledge Intensive Business Services*), des réseaux sociaux localisés et délocalisés (qui peuvent faire l'objet d'une stratégie spécifique pour les pays disposant d'une diaspora), des services de *crowdfunding*, etc. et des institutions formelles encourageant la coopération et l'innovation.

La capacité de l'État à concevoir des stratégies de développement, dont il s'est imprudemment départi avec la vogue de l'économie néolibérale, qui l'a réduit à l'état de fonction support du supposé « marché autorégulateur » et à laquelle l'Asie s'est bien gardée de croire, se mettant ainsi en position de tailler des croupières à l'Occident sur ces nouveaux terrains de jeu, est donc à l'ordre du jour. La ville intelligente ne peut être une collection de « smarties », un empilement de « smart services » : *smart grids, smart buildings, smart mobility, smart IT*... mais un écosystème vivant dont l'intelligence provient du comportement des habitants, faisant de la technologie un levier endogène de développement de la vie civique en devenant en même temps producteurs et utilisateurs de l'information, dans la logique du web 2.0.

Sa capacité à repenser le modèle d'affaires de l'administration publique, dès lors que l'on pense la ville comme un écosystème qu'il faut concevoir et dont il faut intégrer les fonctions, se doit aussi d'être capable de fonctionner comme un écosystème intelligent, ce qui est totalement incompatible avec l'organisation d'une administration en silo, qui, malgré l'abondance des discours et des intentions, reste la norme. Les modèles d'affaires des industriels et fournisseurs de services de la ville intelligente devront, comme la ville, fonctionner en écosystème où la coopération sera la règle, tout en préservant la nécessaire compétition entre les firmes, ce que la littérature managériale a baptisé du terme de « coopétition ». L'ère du bureaucrate wébérien axé sur la procédure et sur la tâche fera donc place aux systémiers en charge de penser l'intégration des sous-systèmes que constituent les fonctions urbaines, et considérant la dépense publique plus comme un investissement qu'un coût par l'intégration des externalités positives et négatives.

Références

Alexander, C., (1977), "A pattern language, town, buildings, constructions", with Sarah Ishikawa et Murray Silverstein, Oxford University Press.

Ashby, W.R., (1962), "Principles of the Self-organizing System", *in Principles of Self-Organization*, von Foerster, H. et Zopf, G. éds, Oxford/ Cambridge, MA, Pergamon, p. 193-229.

Aydalot, Ph. éd., (1986), « Milieux Innovateurs en Europe », Paris, GREMI.

Caron, François, (2012), *La dynamique de l'innovation*, Paris, Albin Michel.

Dedijer, Stephan, (1984), Au-delà de l'informatique, l'intelligence sociale, Paris, Stock.

Crevoisier, O. et Jeannerat, H., (2010), « Les dynamiques territoriales de connaissance : relations multilocales et ancrage régional », *Revue d'économie industrielle*, (128)4, p. 77-99.

Freeman, C., (1995a), "The national system of innovation in historical perspective", *Cambridge Journal of Economics*, vol. 19, n° 1.

Godfrey, Patrick, (2012), "Architecting Complex Systems in New Domains and Problems: Making Sense of Complexity and Managing the Unintended Consequences", *in Complex System and Design Management*, Proceedings, 2012.

Hardin, G., (1968) "The Tragedy of the Commons", *Science*, New Series, vol. 162, n° 3859, 13 décembre, p. 1243-1248.

Howard, E., (1902), *Garden Cities of Tomorrow* (2nd ed.), London, S. Sonnenschein & Co.

Jacobs, Janes, (1985), *Cities and the Wealth of Nations*, New York, Random House.

Krob, D., (2009), « Éléments d'architecture des systèmes complexes », *in Gestion de la complexité et de l'information dans les grands systèmes critiques*, Appriou, A. éd., CNRS Éditions, p. 179-207.

Lacoste, Y., (1996), *Ibn Khaldoun, naissance de l'Histoire, passé du tiers monde*, La Découverte.

Lizaroiu, G.C., Roscia, M., (2012), Definition methodology for the smart cities model.

Neirotti, P., De Marco, A., Corinna Cagliano, A., Mangano, G., Scorrano, F., (2014), "Current trends in Smart City initiatives: Some stylised facts", *Cities*, volume 38, June, p. 25-36.

Ostrom, E., (1991), *Governing the Commons; The Evolution of Institutions for Collective Action*, New York, Cambridge University Press.

Ostrom, E.,, (2010), "Beyond Markets and States: Polycentric Governance of Complex Economic Systems", *American Economic Review*, p. 1-33.

Rochet, C.,, (2014), « Urban Lifecycle Management », *Complex System Design and Management*.

Rochet, C., (2011), *Qu'est-ce qu'une bonne décision publique ?*, Éditions universitaires européennes.

Schwartz, H., (2010), *States vs Markets: The Emergence of a Global Economy*, Palgrave, 3rd ed.

Serra, A., (1613), A 'Short Treatise' on the Wealth and Poverty of Nations, translated by Jonathan Hunt, ed. by S.A. Reinert, Anthem Press.

Simon, H.A., (1969-3rd ed. 1996), *The Sciences of the Artificial*, MIT Press.

Tainter, J., (1990), *The Collapse of Complex Societies*, Cambridge University Press.

Von Hippel, E., (1986), "Lead Users: A Source of Novel Product Concepts", *Management Science*, 32(7), p. 791-806.

West, G., Bettencourt, L.M.A., Lobo, J., Helbing, D., Kühnert, C., (2007), *Growth, innovation, scaling, and the pace of life in cities*, Indiana University.

Chapitre 4

Géopolitique de l'iconomie, nouveaux rapports de force et stratégies d'influence

Laurent Bloch

Sommaire

1. Le cyberespace, nouvel espace public mondial

La géographie, ça sert, d'abord, à faire la guerre : ce fut le titre d'un livre fameux d'Yves Lacoste, qui a renouvelé la pensée géopolitique. Aujourd'hui, la révolution industrielle, ou cyberindustrielle, de l'iconomie ouvre un nouvel espace aux rapports de force et aux conflits, le cyberespace. Il vient s'ajouter à la liste des espaces publics mondiaux (*Global Commons*) après la haute mer, l'espace aérien et l'espace extra-atmosphérique. Le système productif s'informatise, les échanges mondiaux se réorganisent autour de l'Internet : il faut, pour comprendre la politique mondiale dans sa dimension spatiale planétaire, savoir ce qu'il en est du cyberespace.

En première approche, on peut définir le cyberespace comme l'ensemble des données numérisées (logiciels et documents textuels, sonores, graphiques ou visuels) disponibles sur l'Internet et des infrastructures matérielles et logicielles qui leur confèrent l'ubiquité, ce qui englobe une vidéo sur YouTube comme un faisceau transocéanique de fibres optiques.

Remarquons pour commencer que ce qui circule dans le cyberespace, ce sont des données, et que leur vitesse de propagation est du même ordre de grandeur que la vitesse de la lumière. Le cyberespace, comme l'a remarqué Michel Volle, est un espace où les distances sont nulles, mais cela ne signifie pas qu'il est dépourvu de topologie, voire même de métrique, comme nous le verrons ci-dessous. Ce point est bien sûr crucial.

2. Un modèle pour le cyberespace

Afin de mieux appréhender la notion de cyberespace, je propose de suivre Descartes et « *de diviser chacune des difficultés que j'examinerois, en autant de parcelles qu'il se pourroit, et qu'il seroit requis pour les mieux résoudre* », ce qui donne un modèle en quatre couches d'abstraction, du plus matériel (couche basse, les câbles et les connexions) au plus idéel (la transformation de la conscience du spectateur qui regarde la vidéo) :

– La couche n° 1, physique : elle comporte des fibres optiques transocéaniques et transcontinentales, des points d'échange de l'Internet (*Internet Exchange Points*, IXP) où s'interconnectent les réseaux des opérateurs et aussi les routeurs[1], qui commandent les accès des entreprises et des particuliers au réseau de leur fournisseur d'accès (FAI).

– La couche de supervision (n° 2) permet la circulation des données entre les divers réseaux qui constituent l'Internet, à l'instar de ce qu'était le système

1 Un routeur est un ordinateur spécialisé, doté d'au moins deux prises réseau connectées à deux réseaux différents, ce qui lui permet de faire circuler des données d'un réseau à l'autre, en fonction de tables de routage qui décrivent les itinéraires (en anglais *routes*) que doivent emprunter les données selon leur destination, parce que l'Internet est un réseau de réseaux. Les routeurs sont les postes d'aiguillage de l'Internet. Les IXP réunissent en un même lieu un grand nombre de routeurs de divers opérateurs (FAI) pour permettre l'établissement de liaisons entre leurs divers réseaux, sans avoir à construire une multitude de câbles à grande distance.

téléphonique international. La couche de supervision comporte de nombreux éléments techniques ; contentons-nous de nommer ici ceux qui nous concernent :

- un système d'adresses : de même que chaque ligne téléphonique possède un numéro unique qui, s'il est précédé du préfixe propre au pays, permet de l'atteindre depuis le monde entier, chaque appareil connecté à l'Internet possède un numéro IP, dit aussi adresse IP (comme Internet Protocol), qui l'identifie et donne sa position géographique sans ambiguïté ;
- un système d'annuaire : le système de noms de domaines (*Domain Name System*, DNS), analogue à l'annuaire téléphonique d'antan, permet de faire correspondre une adresse IP à un nom de serveur tel que www.iconomie.org ;
- un système de routage : le protocole BGP (Border Gateway Protocol), qui règle les communications entre réseaux différents, ainsi que les tables et les protocoles de routage et les logiciels qui les mettent en œuvre.

– La couche logique (n° 3) est constituée des documents disponibles sur les réseaux à travers le monde et des systèmes informatiques en mesure de les atteindre, de les analyser et de les transformer. C'est à cette couche logique que nous avons affaire quotidiennement (à travers la couche cognitive).

– La couche cognitive (n° 4) du cyberespace concerne la façon dont les êtres humains peuvent appréhender et interpréter les documents que leur procurent les ressources informatiques, en se conformant à la syntaxe des interfaces d'accès à la couche logique. En effet, comme nous l'apprend Gilbert Simondon dans *Du mode d'existence des objets techniques*, une donnée ne devient de l'information que lorsqu'elle est abordée par l'esprit d'un humain, qui en sera transformé.

Voilà l'univers où vont se dérouler les nouveaux conflits du monde informatisé, motivés par les enjeux les plus classiques (concurrence pour l'accès aux matières premières, pour commencer), mais menés par des procédés innovants.

3. Topologie du cyberespace, un enjeu stratégique

Être puissant dans le cyberespace considéré comme milieu, ce peut être y occuper une position centrale. Pour schématiser, on peut dire que la centralité d'un pays est la probabilité que l'itinéraire d'un paquet de données entre deux points quelconques de l'Internet passe par ce pays, en sachant que le calcul d'itinéraire dans l'Internet (le routage) est dynamique et dépend de la puissance et de l'ouverture des infrastructures présentes dans chaque pays (la centralité de la Chine est faible, parce qu'elle ne veut pas trop ouvrir son réseau).

Josh Karlin, Stephanie Forrest et Jennifer Rexford, dans leur article « *Nation-State Routing: Censorship, Wiretapping, and BGP* », ont défini une métrique de centralité d'un pays dans l'Internet, qui mesure, sur une échelle de 0 à 1, la difficulté de trouver, pour aller d'un point à un autre du réseau, un chemin qui évite le pays en question. Comme l'a observé Kavé Salamatian, un pays doté d'une centralité importante peut facilement observer ou perturber les communications d'autres pays, cependant qu'un pays à faible centralité peut difficilement éviter l'espionnage et les perturbations causées par d'autres pays. Les États-Unis ont une centralité de 0,74, la France de 0,14, la Chine de 0,07 et le Pakistan de 0,0002.

Cette métrique de centralité peut être complétée par l'observation de la densité, sur le territoire considéré, de serveurs copies de la racine du DNS et de points d'échanges de l'Internet, nonobstant le fait qu'aujourd'hui, la quasi-totalité des pays dotés de la moindre ambition dans le cyberespace ont compris la nécessité de posséder de telles installations. Les exceptions concernent les pays exclus pour des raisons militaires ou politiques (Iran, Irak, Syrie) et le continent africain, très sous-équipé et très dépendant d'opérateurs extérieurs au continent, qui lui imposent des tarifs élevés. Remarquons aussi que l'Arabie saoudite et Oman, malgré des ambitions proclamées dans le cyberespace, possèdent respectivement deux et une copies de la racine, mais aucun IXP.

4. Quelles puissances dans le cyberespace ?

4.1. Facteurs industriels et intellectuels

Pour dresser un tableau des rapports de force mondiaux dans le cyberespace, il faut se doter de quelques critères de classement. Nous les emprunterons, pour une bonne part, au professeur Wang Yukai, conseiller du gouvernement chinois pour un programme destiné à faire passer le pays d'une présence importante sur le réseau à une place de cyberpuissance de premier plan ; « C'est une chose d'être grand, c'en est une autre d'être puissant. » Ce programme mérite d'être pris au sérieux, et constitue un contraste attristant avec ceux de la France ou de l'Union européenne. Voici les sept points à considérer pour soupeser la cyberpuissance d'un pays ; les six premiers sont du professeur Wang Yukai, qui devait considérer le septième comme allant de soi :

- l'infrastructure, la taille du réseau et la pénétration du haut débit ;
- les capacités technologiques indépendantes, particulièrement dans les domaines des systèmes d'exploitation et des unités centrales (microprocesseurs) ;
- une stratégie internationale qui mentionne clairement les priorités et défende la voix au chapitre du pays sur les questions cyber ;
- l'aptitude à protéger les réseaux, que ce soit pour la sûreté nationale et pour la protection de l'économie et de la vie privée, ou pour la stabilité et l'harmonie sociale ;
- la compétitivité dans le développement de logiciels, du commerce électronique et des marchés en ligne ;
- la présence aux postes de commandement du cyberespace (cela désigne la participation à des instances telles que l'IETF (Internet Engineering Task Force) et le W3C (World Wide Web Consortium), où s'élaborent les normes de fonctionnement de l'Internet, et bien sûr à l'ICANN (Internet Corporation for Assigned Names and Numbers), décisive pour les enjeux proprement politiques) ;
- pas de position éminente durable dans le cyberespace sans un effort important et significatif dans le champ de l'éducation, de la formation et de la recherche. La révolution cyberindustrielle met au premier plan des facteurs de production la créativité intellectuelle, ce que l'Institut de l'iconomie nomme le cerveau-d'œuvre.

4.2. Positions cyberstratégiques

4.2.1. Hégémonie américaine

Il est clair qu'en 2015, les États-Unis exercent dans le cyberespace une hégémonie solide, qu'aucun autre État n'est en mesure de leur contester.

Pour le critère n° 1, néanmoins, les citoyens des pays de l'Union européenne sont parfois surpris de découvrir qu'aux États-Unis, hors des grandes villes, l'accès au réseau est souvent médiocre, et ce à un coût généralement supérieur à celui des FAI européens, typiquement 80 à 120 dollars par mois pour un accès haut débit. Les Américains ont tendance à préférer les fournisseurs d'accès par câble (Comcast, Time Warner ou Cox) aux offres ADSL (Verizon, AT&T, CenturyLink), mais le câble n'atteint pas toutes les zones rurales. De surcroît, chaque opérateur est souvent en situation de monopole dans son secteur géographique, du moins pour les services aux particuliers, et de ce fait la question du dégroupage ne se pose pas.

Quant au critère n° 4, l'affaire Snowden a montré que la protection de la vie privée du citoyen américain n'était pas une priorité de son gouvernement, malgré des professions de foi contraires.

Pour ce qui est du critère n° 7, les Américains eux-mêmes sont très critiques de leur système éducatif et notamment de l'enseignement secondaire public, très médiocre. C'est un gâchis dont les conséquences sont compensées, au moins pour l'instant, d'une part par la présence d'un grand nombre d'établissements secondaires privés de bon niveau et d'universités publiques ou privées de tout premier plan, d'autre part par l'afflux dans les meilleures universités américaines des meilleurs étudiants et enseignants du monde entier, attirés par le dynamisme et la position exceptionnelle des États-Unis. Cet attrait ne se limite d'ailleurs pas au domaine universitaire et les meilleurs ingénieurs et chercheurs du monde entier se bousculent dans la Silicon Valley ou autour de Boston.

Certains auteurs soutiennent que dans le cyberespace, le temps de la souveraineté des États serait révolu, et que le pouvoir y appartiendrait aux opérateurs géants. On observera d'ailleurs que tous les opérateurs qui sont évoqués par ces auteurs sont américains, que rien n'indique dans leurs attitudes une tendance à l'internationalisme et qu'ils savent parfaitement tirer profit, sur le plan économique et juridique, de la puissance cyberpolitique de leur pays.

4.2.2. Chine

La Chine, dans le cyberespace comme ailleurs, est une puissance de premier plan, par le nombre de ses internautes et par la puissance de ses industriels, qu'il s'agisse de Huawei et de ZTE pour les équipements de réseau, ou des usines d'assemblage auxquelles Apple, Samsung et d'autres sous-traitent leur production de masse. Examinons les critères du professeur Wang Yukai.

Infrastructure : le *China Internet Network Information Center* (CnNIC) et le *National Computer Network Emergency Response Technical Team/Coordination Center of China* (CNCERT/CC) publient sur leurs sites des rapports statistiques réguliers, qui donnent une vue complète du réseau chinois. Les cartes du CNCERT/CC permettent de se faire une idée des diversités régionales, qui sont considérables, du fait de la taille et de l'hétérogénéité du territoire. Wikipédia publie une carte animée de la pénétration de l'Internet en Asie orientale de 1997 à 2012. Le phénomène marquant des dernières années est le développement rapide de l'accès à l'Internet mobile. La Chine continentale compte plus de 600 millions d'internautes.

Stratégie : la Chine possède indubitablement une posture stratégique internationale dans le cyberespace, dont les manifestations sont d'ailleurs modérées par rapport aux capacités.

Capacités technologiques : la Chine n'a pas encore de capacité industrielle dans le domaine des microprocesseurs de pointe (technologie 20 nanomètres), mais gageons qu'elle sera à sa portée en très peu d'années, par exemple à travers des échanges avec Taïwan, tant les relations entre ce qu'il faut bien appeler ces deux pays sont ambiguës et difficilement prévisibles. À notre connaissance, la Chine ne possède pas (pas encore) de capacité de production de matériels de photolithographie au pas de 32 nanomètres ou moins, et il est vraisemblable que des licences d'importation ne lui soient pas accordées. À ce jour (de 2015), la Chine possède, grâce à une collaboration entre la société BLX IC Design et l'Institut de technologie informatique de l'Académie des Sciences, une capacité d'ingénierie de microprocesseurs d'architecture Loongson sous licence de la société américaine MIPS. Les processeurs Godson issus de cette collaboration ont été utilisés pour la création d'un supercalculateur, le Tianhe-1A, qui fut le plus puissant au monde en 2010. Ces processeurs sont fabriqués par la société franco-italienne STMicroelectronics pour BLX IC Design, qui n'a pas d'usines. Les derniers modèles sont en technologie 32 nanomètres. En 2014, la Chine a retrouvé la première place de ce classement avec le Tianhe-2, à base de processeurs Intel Xeon, mais elle n'abandonne pas pour autant la technologie MIPS, qu'elle espère déployer dans des matériels destinés au grand public. L'acquisition de capacités de production de microprocesseurs de classe internationale est sûrement au premier rang des objectifs des Chinois et il est probable que ceux-ci puissent y parvenir dans quelques années.

Capacités défensives : la Chine a consacré des moyens considérables à la protection de son réseau, afin de mieux le contrôler et de limiter la navigation de ses internautes vers des sites réputés subversifs. Il semble aujourd'hui que les autorités soient arrivées à la conclusion que les inconvénients de cette politique en surpassent les avantages. On pourra à ce sujet lire la communication d'Alice Ekman au colloque « Cybersécurité et cyberdéfense de la Chine » de juillet 2013, où elle explique pourquoi les espoirs d'encadrer l'expression des citoyens chinois sur les réseau sociaux sont voués à l'échec. Par exemple, les autorités ont imposé aux internautes de s'enregistrer pour communiquer sur le réseau *Xīnlàng wēibó* (contrepartie chinoise de Twitter), mais le faible nombre de patronymes disponibles rendait cette mesure inopérante : comment retrouver un Wang parmi ses dizaines de millions d'homonymes ?

Compétitivité : la compétitivité chinoise sur le réseau n'est pas menacée, d'autant plus que la barrière linguistique est à peu près infranchissable.

Présence dans les instances de gouvernance de l'Internet : les auteurs chinois occupent une place tout à fait respectable parmi les auteurs de RFC (Request for Comments, les documents normatifs de l'Internet) (cinquième rang pour les RFC récents, juste derrière la France).

Système éducatif et recherche : les efforts chinois dans ce domaine sont colossaux, à la dimension du pays et de sa population. En outre, comme le remarque Thomas Piketty, grâce à son impôt progressif sur le revenu, la Chine « parvient à mobiliser des recettes fiscales lui permettant d'investir dans l'éducation, la santé et les infrastructures de façon autrement plus massive que les autres pays émergents, à commencer par l'Inde, qu'elle a nettement distancée. Si elle le souhaite et surtout si ses élites acceptent de (et parviennent à) mettre en place la transparence démocratique et l'État de droit qui vont avec la modernité fiscale, ce qui n'est pas rien, la Chine aura tout à fait la taille suffisante pour appliquer le type d'impôt progressif sur le revenu et sur le capital [que l'auteur préconise] » (Piketty, 2013, p. 566, pagination de l'édition électronique). Cette politique fiscale permet de conférer à ceux qui ont acquis savoirs et compétences le statut social qu'ils estiment être en droit d'attendre.

Selon la recension donnée par Adam Segal d'un article de Wang Yukai déjà évoqué ci-dessus, les autorités chinoises pensent que la progression vers le rang de cyberpuissance doit être poursuivie à trois niveaux. Au niveau national, renforcer les cadres institutionnels et juridiques et aider les entreprises chinoises à accroître leurs compétences dans les domaines de pointe tels que le *Big Data*, l'Internet mobile et l'informatique en nuage. Au niveau économique, créer un marché compétitif, favoriser l'industrie nationale et chercher l'indépendance cyberindustrielle (comme nous l'avons signalé plus haut, mais ce fait est peu connu, la Chine ne dispose pas, en 2015, de capacité indépendante de production de microprocesseurs de dernière technologie).

Pour ce qui concerne le niveau international, Adam Segal fait référence à un discours du président du Bureau national de l'information sur Internet, Lu Wei, qui formule les principes de la politique chinoise : respect de la souveraineté des États et des frontières dans le cyberespace, approche multi-acteurs de la gouvernance de l'Internet avec une répartition des rôles entre les États, les entreprises, les communautés techniques et la société civile.

4.2.3. L'Union européenne et la France, démocraties sans projet

La France, et plus généralement l'Union européenne, ne sont pas aujourd'hui en mesure de jouer un rôle stratégique important dans le cyberespace. Pourtant si l'UE, et en son sein la France, en avaient la volonté, ce ne sont pas les atouts qui leur manqueraient.

Voyons ce que donnent, pour notre continent et notre pays, les sept critères :

Qualité des infrastructures : même si l'on peut regretter le retard de la France pour le déploiement du haut débit par rapport à un pays comme la Corée, les infrastructures de réseau sont bonnes, voire excellentes dans la plupart des pays de l'UE, dont les plus importants figurent parmi les vingt premiers du classement pour l'indice de centralité dans l'Internet, selon les critères de l'article de Karlin, Forrest et Rexford. Les tarifs sont assez hétérogènes et peu compréhensibles, ce que déplore Neelie Kroes, vice-présidente de la Commission européenne (AFP, 2014) : « Il n'existe pas de marché unique de l'Internet et cela doit changer. Rien ne justifie qu'un consommateur européen paie quatre fois plus cher qu'un autre pour la même connexion au haut débit. » Les tarifs d'abonnements à un service à haut débit à 12-30 Mbps, qui est l'abonnement fixe le plus répandu en Europe, vont de 10 à 46 euros par mois selon le pays de résidence et peuvent atteindre 140 euros par mois, selon une étude commanditée par la Commission (SamKnows Limited, 2013).

Stratégie internationale, définition des priorités et position affirmée font cruellement défaut, tant à l'UE dans son ensemble qu'à ses États membres pris un par un. Ce n'est pas faute de proclamations, mais la volonté et les actes n'y sont pas vraiment et personne n'est dupe. Néanmoins, Olivier Kempf décèle une évolution favorable : « La publication, le 7 février 2013, de la stratégie de cybersécurité de l'Union européenne constitue la première déclaration publique d'une cyberstratégie européenne autonome. C'est une étape importante, qui mérite qu'on s'y arrête. Le texte a le grand mérite d'aborder avec lucidité un domaine où l'Union était incontestablement en retrait. Le texte et la proposition de directive réussissent à ménager de grands équilibres tout en traçant des objectifs de court et de moyen terme, et en plaçant le domaine sous l'égide de l'article 222 et en posant que l'Union européenne a des responsabilités de cyberdéfense : l'innovation est réelle. »

Capacités technologiques : ce qui est regrettable, c'est que l'Europe a tout ce qu'il faut pour réussir : les infrastructures industrielles, les entreprises, les institutions, la recherche, le capital... et pourtant il n'en résulte pas de position forte, faute de volonté et de collaboration. *Cf.* le point précédent.

Protection des réseaux, de l'économie, de la vie privée : ce sont des domaines où la perfection n'existe pas, mais les pays européens sont sans doute les mieux dotés. L'UE et ses membres disposent notamment d'un environnement législatif et réglementaire respectable et, en outre, d'une volonté affirmée de le défendre, ce qui mérite d'être souligné.

Dans le domaine du logiciel et des activités économiques sur le réseau l'UE dispose, là aussi, de capacités sous-exploitées. L'Internet et ses usages sont souvent vus comme une menace plus que comme une promesse d'avenir.

Présence dans les organes de la gouvernance de l'Internet : les Européens (et notamment les Français, derrière les Allemands et devant les Britanniques, les Finlandais et les Suédois) sont nombreux parmi les auteurs de RFC (Arkko, 2014), souvent d'ailleurs pour y représenter leur employeur américain (Cisco ou Microsoft, par exemple). La présence allemande et tchèque est excellente. Mais pour qu'une voix européenne (ou française) s'y fasse entendre en tant que telle, il faudrait qu'il y existât une industrie des matériels et des logiciels de cœur de réseau significative.

Éducation, recherche, formation : les pays d'Europe du Nord, la Suisse, l'Allemagne et les Pays-Bas sont très bien placés pour ces critères. La Grande-Bretagne possède d'excellentes universités et a entamé un travail de fond pour adapter son enseignement secondaire à l'ère cyberindustrielle. La France possède quelques institutions d'élite d'un excellent niveau (grandes écoles, universités de technologie, deux ou trois universités générales), au milieu d'un paysage universitaire délabré et d'un enseignement secondaire qui tarde à évoluer. Les efforts des pays d'Europe du Sud pour l'éducation et la recherche sont notoirement insuffisants, malgré quelques institutions d'élite comme l'École polytechnique d'Athènes ou certaines universités italiennes.

4.2.4. Japon, puissance atone

Peu de pays, en fait, ont une politique affirmée vis-à-vis du cyberespace. Le Japon est un cas étrange de solipsisme cyberspatial : une proportion écrasante de son trafic réseau reste à l'intérieur du Japon, la proportion de communication avec le monde extérieur est très faible. Il s'agit peut-être d'une séquelle des mauvaises expériences du passé, mais c'est aussi le produit de l'histoire et de la civilisation de ce pays si particulier.

Il est tout à fait surprenant de constater l'absence japonaise de la liste des usines de pointe pour la fabrication de microprocesseurs, où les entreprises nippones occupaient une position de premier plan au tournant du siècle. Nul doute que le Japon dispose de toutes les capacités voulues pour occuper une place de premier plan dans la cyberindustrie. Cette atonie est surprenante, sans doute liée au climat déflationniste consécutif à la crise de 1990, et peut-être provisoire.

En tout cas, le Japon est un contributeur de premier plan aux instances de gouvernance de l'Internet (troisième rang mondial derrière les États-Unis et l'Allemagne pour les auteurs de RFC récents).

4.3. QUATRE CYBERDRAGONS

4.3.1. Corée du Sud

La Corée du Sud, voisine du Japon auquel la relie une histoire commune longue, mouvementée et conflictuelle, occupe dans le cyberespace une position symétrique par rapport à lui. Son arrivée au premier rang du cybermonde est récente et les positions atteintes sont d'autant plus impressionnantes : première place du classement pour la pénétration des accès réseau à très haut débit et position éminente de Samsung dans l'industrie microélectronique, qui ne le cède qu'à Intel, pour ne citer que deux exemples particulièrement significatifs. Ces résultats sont en partie le fruit d'une politique nationale très déterminée, notamment dans le domaine éducatif. La contribution coréenne aux instances de gouvernance de l'Internet est faible en regard de sa présence industrielle. Signalons au passage que le parlement coréen envisage de réduire la durée légale maximum autorisée de travail hebdomadaire de 68 heures à 52 heures.

On aurait envie de dire que la Corée fait tout ce que l'Europe devrait faire. On peut aussi penser que la Corée est exposée au risque de crise qui a frappé le Japon dans les années 1990, quand ses actifs se sont révélés surévalués et se sont évaporés ; en effet, la vie politique et économique coréenne, pas plus que la japonaise, n'est un modèle de transparence démocratique, ce qui peut réserver de mauvaises surprises.

L'application détaillée des sept critères à ce pays est laissée en exercice au lecteur, à titre de délassement gracieux, non sans avoir noté que pour ce qui est du point 7, la Corée fournit des efforts éducatifs tout à fait considérables qui devraient assurer son avenir.

4.3.2. Singapour

Parmi les États qui ont une politique cyberspatiale affirmée, on notera Singapour, qui a de bonnes raisons de miser moins sur son territoire que sur sa population et sur sa situation géographique privilégiée. Singapour déploie des efforts exceptionnels dans les domaines de l'éducation et de la recherche et développement, plus particulièrement dans le domaine informatique. Les activités de conception et de fabrication de composants microélectroniques de pointe y sont importantes, sans que leurs commanditaires américains ne fassent une grande publicité à cette situation.

Infrastructures : la petite taille de son territoire permet à Singapour une excellente couverture réseau.

Les relations de Singapour avec ses voisins immédiats (Malaisie, Indonésie) ne sont pas toujours harmonieuses, ce qui impose une posture stratégique forte, et les caractéristiques de son territoire et de sa population font du cyberespace un terrain privilégié pour ce faire. Singapour fait partie des rares pays qui ont une politique cyberindustrielle et cyberspatiale affirmée et cohérente, avec la recherche d'alliances et de collaborations internationales soigneusement choisies. Singapour s'appuie sur l'ASEAN pour stabiliser des relations intenses mais parfois tendues avec la Malaisie et l'Indonésie, qui sont par ailleurs ses principaux partenaires commerciaux à côté de la Chine, des États-Unis et de la Thaïlande. La place commerciale et financière de Singapour jouit d'une réputation de sérieux et d'intégrité qui lui confère une confiance internationale forte et justifiée et un avantage concurrentiel significatif par rapport aux systèmes plus opaques du Japon, de la Corée et de la Chine.

Singapour dispose de capacités technologiques de pointe en informatique et composants électroniques : usines Global Foundries et UMC (pas tout à fait dernier cri, mais susceptibles d'évolution), auxquelles s'ajoute un tissu dense de petites entreprises novatrices. Singapour entretient une synergie étroite avec la Malaisie, où se trouvent d'importantes usines d'assemblage de produits de haute technologie et même une usine de semi-conducteurs en technologie 90 nm et de tranches de silicium (*wafers*), à Kulim dans le sultanat de Kedah (entreprise Silterra).

Le professionnalisme des services de cybersécurité singapouriens ne fait aucun doute. L'armée singapourienne possède une unité de cyberdéfense. Israel Aerospace Industries a créé à Singapour un centre de R&D en cyber-alerte rapide (*Cyber EarlyWarning*) (iHLS, 2014).

La compétitivité singapourienne pour les activités économiques en ligne est avérée.

Singapour devrait améliorer sa position actuelle, peu significative, au sein des instances qui élaborent les normes de l'Internet, essentiellement l'IETF et ses groupes de travail.

Les efforts consacrés par Singapour à l'éducation et à la recherche sont tout à fait remarquables et placent le pays dans les premiers rangs mondiaux.

4.3.3. Israël

Israël a aussi une politique cyberspatiale affirmée, pour des raisons qui ne sont sans doute pas sans similitudes avec celles de Singapour : ces deux pays ont de bonnes raisons (différentes) de miser moins sur leur territoire que sur leur population. Israël et Singapour ont en commun une intensité exceptionnelle de leurs efforts dans les domaines de l'éducation et de la recherche et développement, plus particulièrement en informatique. Les plans de beaucoup de composants microélectroniques de pointe sortent de laboratoires israéliens, sans que leurs commanditaires américains n'accordent une grande publicité à cette situation. Les laboratoires israéliens des industriels américains de la microélectronique (Intel au premier rang) ont bénéficié de l'apport (gratuit) de scientifiques et d'ingénieurs fort bien formés en Union Soviétique et immigrés en masse en Israël au cours des quarante dernières années.

Infrastructures : la petite taille de son territoire permet à Israël une excellente couverture réseau.

Israël a avec ses voisins des relations conflictuelles qui imposent une posture stratégique forte, et les caractéristiques de son territoire et de sa population font du cyberespace un terrain privilégié pour ce faire. Cet État a développé une politique cyberindustrielle et cyberspatiale affirmée et cohérente, avec la recherche d'alliances et de collaborations internationales soigneusement choisies, centrées sur les États-Unis.

Israël est au nombre des pays qui disposent de capacités technologiques de pointe en informatique et composants électroniques : usine Intel de Kyriat Gat, auxquelles s'ajoute un tissu dense de petites entreprises novatrices.

Le professionnalisme des services de cybersécurité israéliens ne fait aucun doute. Son armée possède une unité de cyberdéfense. Israel Aerospace Industries a créé à Singapour un centre de R&D en cyber-alerte rapide (*Cyber EarlyWarning*) (iHLS, 2014).

La compétitivité israélienne pour les activités économiques en ligne est avérée.

La présence israélienne parmi les auteurs de RFC (les documents qui régissent le fonctionnement de l'Internet) est significative.

Les efforts consacrés par Israël à l'éducation et à la recherche sont tout à fait remarquables et placent ce pays au premier rang mondial (7,4 % du PIB pour la recherche et le développement, deux établissements parmi les cent premiers du classement de Shanghai, quatre parmi les deux cents premiers, un programme d'enseignement de l'informatique dans le secondaire de première qualité, généralisé à tous les établissements depuis des décennies et régulièrement mis à jour).

4.3.4. Taïwan

Taïwan est une grande puissance du cybermonde, sans doute au second rang mondial pour les capacités de production de microprocesseurs.

Infrastructure : selon les statistiques publiées par Akamai (un observateur très bien placé), les infrastructures réseau de Taïwan sont de bonne qualité, toujours parmi les vingt premières du classement mondial quel que soit le critère envisagé (Akamai, 2014).

Pour des raisons voisines de celles énoncées ci-dessus à propos d'Israël et de Singapour, Taïwan compte beaucoup sur sa présence dans le cybermonde et sur sa puissance cyberindustrielle pour assurer son avenir, et sa posture stratégique en découle.

Les capacités cyberindustrielles de Taïwan placent ce pays dans les premiers rangs mondiaux, juste derrière les États-Unis et à parité avec la Corée du Sud. TSMC (seize unités de production) et UMC (neuf unités de production) sont des entreprises de premier plan pour la fabrication de microprocesseurs en technologie de pointe, accompagnées d'une grande quantité d'entreprises plus petites spécialisées dans les matériels accessoires (disques durs, mémoires) ou dans l'assemblage. On a pu en prendre la mesure lors du tremblement de terre du 21 septembre 1999 (d'une magnitude de 7,3) qui, outre 2 415 morts et 11 305 blessés, a déstabilisé toute l'industrie informatique mondiale par les dégâts infligés aux usines de la cyberindustrie.

Comme pour Singapour et Israël, la position stratégique de Taïwan ne lui permet pas de prendre sa cybersécurité à la légère.

Compétitivité en ligne : excellente.

Présence dans les instances de gouvernance de l'Internet : faible. Mais les statistiques masquent peut-être un nombre significatif d'Américano-Taïwanais.

Éducation et recherche : comme Singapour, Israël et la Corée du Sud, Taïwan a compris que son avenir était dans sa population, et notamment dans son niveau éducatif, et accorde à ce domaine des efforts considérables.

4.4. Puissances marginales

4.4.1. Russie

Et la Russie ? Dans le cyberespace comme ailleurs, elle est dépourvue de capacité industrielle. Un article récent de l'agence Tass-Itar (Itar-Tass, 2014) nous apprend que les autorités russes ont décidé de ne plus utiliser de processeurs américains pour leurs systèmes informatiques et de se tourner vers des processeurs de conception britannique ARM, fabriqués en Russie sous la marque Baïkal. L'annonce que ce projet serait financé à hauteur de « quelques douzaines de millions de dollars » laisse planer un doute sur son sérieux, parce que ce serait plutôt une douzaine de milliards de dollars qu'il faudrait pour envisager vraiment un tel projet.

Le russe est la troisième langue en taux de présence sur le web (6 % des pages d'accueil, *cf.* ci-dessus). Cette position forte est facilitée par la barrière à l'entrée que constitue l'alphabet cyrillique, mais cela constitue aussi un obstacle au rayonnement mondial de la Russie.

Depuis l'époque soviétique, et même avant, la Russie possède une tradition affirmée de formation scientifique de haut niveau, dont un des produits dérivés est la capacité de produire des logiciels malfaisants de qualité.

Pendant les décennies soviétiques et même ensuite, les universités disposaient de moyens informatiques très limités ; cela obligeait les étudiants à faire beaucoup d'informatique théorique et de programmation avec crayon et papier, ce qui est très exigeant intellectuellement. Une autre caractéristique de l'enseignement de la programmation en Russie : il est souvent fondé sur des langages fonctionnels, ce qui est aussi très formateur.

Le rapport APT1 : *Exposing One of China's Cyber Espionage Units* (Mandiant, 2013), publié le 18 février 2013 par la société américaine Mandiant, est en lui-même un document plutôt dépourvu d'intérêt, destiné à exagérer l'idée d'une cybermenace chinoise exercée par une unité soi-disant secrète de l'armée chinoise spécialisée dans les cyberattaques de type APT (Advanced Persistent Threat). Son intérêt réside surtout dans ses annexes, qui contiennent un grand nombre de traces laissées par des cyberattaques, pas toutes venues de Chine. Le 20 février 2013, le site VirusShare (VirusShare 2014) a publié une archive contenant un échantillon de 281 binaires utilisés lors d'attaques perpétrées par l'unité chinoise ou d'autres entités.

Le cabinet Hervé Schauer Consultants (HSC) a publié une analyse de certaines de ces données dans un document pédagogique (2013), qui illustre bien les méthodes d'analyse d'un logiciel malfaisant. On vérifie à cette occasion que les systèmes Windows sont la cible principale de telles attaques.

Les résultats issus des annexes du rapport Mandiant sont instructifs : parmi les vecteurs d'attaque, tous ne sont pas d'origine chinoise, certains sont d'origine russe et se distinguent par leur qualité élevée (par rapport au tout-venant de la production chinoise), appréciée selon la subtilité de l'attaque, son degré de camouflage et le style de la programmation[2].

Examinons la situation russe sous l'angle des critères de cyberpuissance que nous avons adoptés :

Infrastructure : médiocre.

Stratégie internationale : posture de puissance secondaire dotée d'une capacité de nuisance significative.

Capacités technologiques indépendantes : inexistantes pour le matériel, présence sur des marchés de niche pour le logiciel (antivirus, *botnets*, logiciels malfaisants).

Aptitudes défensives : bonnes.

Compétitivité en ligne : bonne, grâce en partie à la barrière linguistique et scripturale.

Présence dans les organes de gouvernance de l'Internet : faible.

Éducation et recherche : la Russie bénéficie d'une solide tradition scientifique, antérieure même à l'époque soviétique. Mais le système éducatif et universitaire vit pour l'essentiel sur sa lancée et, de surcroît, ceux qui se donnent la peine d'acquérir savoirs et compétences ne reçoivent en retour ni la considération ni la position sociale qui devraient en être le prix, alors que la prospérité est réservé à des oligarques et à des despotes brutaux, avides et incultes. De ce fait, la Russie subit l'exode de ses meilleurs scientifiques et experts. Ce modèle social défectueux et les lacunes de l'État de droit (c'est un euphémisme) obèrent sérieusement l'avenir cyberindustriel de la Russie.

4.4.2. Inde

La position indienne face à la révolution cyberindustrielle est contrastée. L'effort éducatif, s'il est inégalement réparti sur le territoire, n'en est pas moins remarquable. Il pourvoit aux attentes d'une activité de services informatisés tout à fait considérable, notamment dans les régions de Bangalore et de Mumbai, qui trouvent des clients dans le monde entier (surtout, mais pas uniquement, anglophone). Mais la faiblesse du système fiscal et l'insuffisance des politiques sociales (santé, logement, éducation élémentaire) qui en résulte font que le système éducatif indien

---

2 Communications orales de Kavé Salamatian et de Nicolas Ruff lors de réunions de l'OSSIR et de conversations privées.

profite beaucoup trop aux entreprises américaines et britanniques, qui tirent ainsi parti du *brain drain* en important gratuitement des ingénieurs et des chercheurs indiens. Les positions indiennes dans l'industrie microélectronique sont faibles, mais on peut noter une forte présence dans les infrastructures de réseau, avec Tata parmi les quatorze opérateurs du Tier 1 et des points de présence dans le monde entier. On peut dire que le développement cyberindustriel de l'Inde, comme celui de la Russie, est contrarié par un modèle social inadapté, alors que le modèle chinois est meilleur, même si perfectible.

5. Des cyberpuissances bien hiérarchisées

Ce bref exercice d'application des critères de la cyberpuissance aux principaux pays qui participent (ou qui devraient participer) à la révolution cyberindustrielle permet de tirer quelques conclusions.

Le cas des États-Unis n'appelle pas de longs commentaires : leur position est hégémonique dans le cyberespace, et ils n'y renonceront pas volontairement.

Derrière les États-Unis on trouve un groupe de pays qui ont une cyberpolitique cohérente et déterminée sur tous les segments du domaine cyberindustriel et cyberstratégique : tout d'abord la Chine, dont l'ambition mondiale n'est pas à démontrer, à qui il manque encore (du moins selon les informations publiques) quelques éléments de la cyberpuissance (comme la capacité de produire des microprocesseurs à la pointe de la technique et les machines pour les fabriquer), dont l'acquisition ne devrait être qu'une question de temps.

Outre la Chine, on trouve un groupe de puissances ascendantes, les cyberdragons : Corée du Sud, Singapour, Israël et Taïwan, qui ont en commun de faire face à un *hinterland* peu amical et qui misent tout sur l'éducation, la science et la technologie, en un mot sur la révolution cyberindustrielle, pour leur survie.

À côté de la Chine et des cyberdragons on peut citer l'Inde, qui a visiblement de sérieux atouts, mais qui manque d'une cyberpolitique cohérente et qui souffre d'un modèle social encore marqué par les séquelles de la misère coloniale et de l'inégalitarisme féodal.

L'Europe et le Japon disposent de capacités considérables, mais semblent ne savoir qu'en faire, après avoir eu de grandes ambitions déçues.

La Russie n'existe pas vraiment dans la révolution cyberindustrielle, ce qui ne l'empêche pas de disposer d'un certain pouvoir de nuisance avec ses réseaux destinés au piratage à grande échelle (*botnets* et logiciels malfaisants en tous genres). On voit ainsi que sa position cyberstratégique est cohérente avec sa position stratégique en général.

Chapitre 5

L'informatisation criminelle : trafics et crimes de l'économie financière

Michel Volle

Sommaire

L'informatisation est la cause matérielle *d'un dérapage de la Banque, système que forment les banques et organismes financiers, vers la délinquance : les possibilités nouvelles qu'elle lui a offertes étaient accompagnées de tentations auxquelles elle n'a pas pu résister.*

Elle s'est donné pour but de « produire de l'argent » et pour règle « pas vu, pas pris ». Cela a contaminé toute la société, tentée par la prédation. De tous les dangers qu'apporte l'informatisation, celui-ci est le plus grave et le moins connu.

* *

1. L'informatisation de la Banque

L'informatisation a apporté à la Banque des possibilités qu'elle n'avait jamais connues auparavant : les réseaux informatiques ont supprimé les effets de la distance géographique, ce qui lui a permis d'agir indifféremment sur tous les points du globe ; la gestion de produits financiers complexes, qui aurait demandé auparavant un lourd travail au *back office*, a pu être réalisée de façon automatique par des programmes informatiques[1].

L'innovation qui s'est ainsi déchaînée dans les « produits dérivés » a procuré à la Banque une nouvelle source de revenus : l'activité sur « les marchés » est devenue plus profitable pour elle que l'intermédiation du crédit[2].

Il en est résulté un changement de ses priorités. Alors que l'intermédiation du crédit procure aux entreprises et aux consommateurs la liquidité qui leur est nécessaire et rend ainsi à l'économie un service de création monétaire, la « production d'argent » par le *trading* ne bénéficie qu'à la Banque elle-même et constitue un prélèvement sur le reste de l'économie : la Banque est ainsi devenue une institution *prédatrice*[3].

2. L'opacité des opérations

Cette évolution est favorisée par l'opacité des opérations. À celle de la technique financière elle-même, qui, comme toute technique, ne peut être vraiment comprise que par ceux qui la mettent en œuvre quotidiennement, s'ajoute l'opacité des algorithmes que contiennent les programmes informatiques : il est devenu très difficile de savoir ce qui se passe vraiment dans une banque.

Cette opacité a des conséquences pratiques et symboliques. Du point de vue pratique, elle a éveillé des tentations : quand le but assigné aux *traders* est de produire de l'argent en faisant abstraction de toute autre considération, cela peut les faire déraper vers des procédés illicites, car il leur est facile d'appliquer la règle « pas vu, pas pris ».

1 Marc Andreessen, « Why Software Is Eating The World », *Wall Street Journal*, 20 août 2011.

2 « The six largest holding companies, which made a combined $75 billion last year, had $56 billion in trading revenues, that means that trading, not lending, is how they make most of their money. » (Joe Nocera, « The Good Banker », *The New York Times*, 30 mai 2011).

3 Michel Volle, *Prédation et prédateurs*, Economica, 2008.

Du point de vue symbolique, les témoignages relativement nombreux sur ces dérapages semblent peu crédibles : soit ils sont détaillés, et il faut pour les comprendre maîtriser les méthodes de la finance comme celles de l'informatique, double compétence que peu de personnes possèdent ; soit ils sont schématiques, et alors on peut leur reprocher d'être incomplets et superficiels.

Par ailleurs, si celui qui conçoit et programme un algorithme sait ce que fait celui-ci, l'empilage des divers algorithmes est d'une complexité qui défie l'intellect, à tel point que personne dans une banque – et surtout pas ses dirigeants, que leur « pouvoir » préoccupe beaucoup plus que la « technique » – ne peut se représenter exactement le résultat de leur fonctionnement simultané.

La Banque informatisée fonctionne ainsi comme un gigantesque automate, susceptible d'avoir des effets aussi imprévisibles que ceux du balai de l'apprenti-sorcier[4]. Voici quelques témoignages :

> « Depuis le *Big Bang* des années 80, de grandes quantités d'actions et d'obligations – ainsi que leurs produits dérivés – ont été traitées automatiquement par les ordinateurs et non par des êtres humains[5]. Ces "algotrades", comme on dit, représentaient jusqu'à 40 % des transactions sur le London Stock Exchange en 2006 et sur certains marchés américains, la proportion peut atteindre 80 %. »
>
> « Les dirigeants de Wall Street aiment les *swaps* et les produits dérivés parce qu'ils ne sont pas supervisés par des êtres humains. Seules les machines en sont responsables[6]. »
>
> « C'est la mise en œuvre de la technologie numérique qui a provoqué la débâcle financière[7]. »

3. Le sentiment du risque disparaît

La puissance de l'informatique et l'ubiquité du réseau ont fait disparaître le sentiment du risque, sinon le risque lui-même : les banques sont aussi solidaires qu'une cordée d'alpinistes et il semble inconcevable que la Banque puisse s'effondrer – d'autant que les États sont prêts à combler les pertes que fait une banque qu'ils jugent *too big to fail*.

Alors que l'arbitrage entre le rendement et le risque était naguère l'essence du métier de banquier, le risque semble donc avoir disparu : il ne reste plus qu'à maximiser le rendement, afin de présenter un résultat trimestriel séduisant. Il arrive ainsi qu'un dirigeant incite ses agents à négliger les signaux d'alarme : « Daniel Hudd (PDG de Fannie Mae) a dit à ses employés de prendre des risques avec agressivité, ou bien de quitter l'entreprise[8] ».

---

4 Thomas L. Friedman, « Did You Hear the One About the Bankers? », *The New York Times*, 29 octobre 2011.

Leo King, « Algorithmic stock trading rapidly replacing humans, warns government paper », *Computerworld UK*, 9 septembre 2011.

Nathaniel Popper, « Stock Market Flaws Not So Rare, Data Shows », *The New York Times*, 28 mars 2012.

Joe Nocera, « Frankenstein Takes Over the Market », *The New York Times*, 3 août 2012.

5 Sean Dodson, « Was software responsible for the financial crisis? », *The Guardian*, 16 octobre 2008.

6 Richard Dooling, « The Rise of the Machine », *The New York Times*, 12 octobre 2008.

7 Neville Holmes, « The Credit Crunch and the Digital Bite », *Computer*, janvier 2009.

8 Charles Duhigg, « Pressured to Take More Risks, Fannie Reached Tipping Point », *The New York Times*, 4 octobre 2008.

Tout comme la mauvaise monnaie chasse la bonne, les mauvais professionnels de la finance, qui ne se soucient pas des risques encourus au-delà du trimestre en cours, ont chassé les bons professionnels[9].

La bulle des *subprimes* s'est ainsi gonflée, l'informatique ayant permis d'entasser des actifs douteux dans les CDO *(collateralized debt obligations)* sans que personne, ou presque, ne comprenne ce qui était en train de se passer[10] – et moins que quiconque les *traders*, qui recevaient d'énormes bonus car, dans ce milieu professionnel, celui qui gagne beaucoup d'argent ne semble pas pouvoir avoir tort.

Les abus de confiance qu'ont commis des escrocs de la finance comme Bernard Madoff[11] et Jordan Belfort[12] n'ont rien de nouveau. Ce qui est nouveau, c'est le caractère systémique que l'application de la règle « pas vu, pas pris » et la disparition du sentiment de risque ont donné à de tels abus.

4. La « financiarisation »

La « financiarisation » d'un marché détruit sa qualité, c'est-à-dire celle des produits qui s'y échangent et des transactions qui s'y déroulent : les marchés des matières premières et produits agricoles – café, blé, cacao, métaux, etc. – ont connu cette évolution, les *traders* en ayant expulsé les experts qui connaissaient la qualité des produits et les besoins des clients.

Cette détérioration a touché la finance elle-même : alors que l'arbitrage lui rendait naguère un service en stabilisant les cours et en assurant la cohérence des prix, les *traders* s'activent aujourd'hui pour manipuler, comme ils l'ont fait avec le Libor, les informations qui servent de repère à la profession, ou pour « secouer les marchés » en suscitant une volatilité qui leur offrira des possibilités de profit[13]. Les transactions à haute fréquence *(high-frequency trading)* sont l'exemple le plus achevé de ce comportement : les algorithmes des diverses banques luttent pour manipuler les marchés à toute vitesse, créant ainsi l'occasion d'un *délit d'initié systémique*[14].

5. Une dissymétrie d'information

L'opacité que crée la conjonction des techniques de la finance et de l'informatique introduit une dissymétrie d'information entre la Banque et le système judiciaire. Même si un programme informatique est compliqué, il suffit d'un clic sur une icône pour qu'un *trader* puisse le mettre en œuvre : celui-ci peut donc faire en un instant des virements d'un compte à un autre, créer des *trusts* et sociétés écrans dans les paradis fiscaux (il faudrait plutôt dire « paradis financiers »). Un magistrat doit,

9 Jean-François Gayraud, *La grande fraude*, Odile Jacob, 2011.

10 Michael Lewis, *The Big Short*, Penguin Books, 2010.

11 Diana B. Henriques et Jack Healy, « Madoff Goes to Jail After Guilty Pleas », *The New York Times*, 12 mars 2009.

12 Jordan Belfort, *The Wolf of Wall Street*, Hodder & Stoughton, 2007.

13 Jérôme Cazes, *555, jeudi rouge*, Éditions du Parc, 2011.

14 Jean-François Gayraud, *Le nouveau capitalisme criminel*, Odile Jacob, 2014.

en revanche, passer par de longues procédures (réquisitoire supplétif, commission rogatoire internationale) pour pouvoir obtenir des preuves[15].

Les mécanismes utilisés pour garantir le secret et échapper aux contrôles sont simples, leur efficacité résultant de cette dissymétrie d'information et de vitesse. La compensation par virement entre des comptes situés dans un paradis financier permet de transférer l'argent liquide sans lui faire passer une frontière[16] ; le découpage d'un flux en un grand nombre de flux plus petits, passant par des itinéraires divers et donnant lieu à de multiples virements, dont certains ne laissent pas de trace dans les chambres de compensation, oppose un obstacle pratiquement insurmontable à l'enquêteur le plus tenace[17], etc.

> « Celui qui gère les fonds qu'un client italien ou français a déposés dans les îles Caïmans aura accès depuis Genève à toutes les informations, mais si un magistrat cherche en Suisse des informations sur ce client il ne trouvera aucun élément qui lui permette de remonter jusqu'au gestionnaire, car celui-ci aura un contrat d'intermédiation avec quelque société écran à Jersey ou Guernesey[18]. »

La City de Londres est le nœud d'un réseau de dépendances de la couronne britannique qui sont autant de paradis financiers[19], et cette activité procure une bonne part de leur PIB à de petits pays européens (Suisse, Luxembourg, Liechtenstein, Monaco, Andorre).

6. Des témoignages

Certains témoignages donnent de précieuses indications d'ambiance. Voici celui de Robert Mazur, agent du FBI infiltré dans la Banque : les preuves qu'il a rassemblées ont conduit en 1991 à la fermeture de la BCCI, septième banque privée du monde, et permis de comprendre comment Manuel Noriega avait caché la fortune que lui procuraient les cartels colombiens de la drogue :

> « Pendant deux ans et demi, j'ai infiltré un cartel au plus haut niveau et négocié avec ses banquiers. J'ai enregistré des centaines de conversations discrètes avec des banquiers internationaux.
>
> « Ils m'ont donné sans hésitation accès à tous leurs outils, en commençant par des avocats qui savaient comment créer pour des délinquants des entreprises *offshore* à Panama, Hong Kong, les Îles Vierges britanniques et Gibraltar. Ils m'ont fourni des coffres secrets dans des endroits comme Dubaï et Abou Dabi, où l'on ne prend pas note des gros dépôts de liquidité, ainsi que le moyen de transporter de l'argent liquide vers ces coffres.
>
> « Cet argent pouvait être ensuite rapatrié vers les États-Unis sous le couvert d'un prêt. Les détails étaient chuchotés lors de réunions secrètes, de sorte que rien d'écrit ne passe les frontières et que l'on puisse aisément détruire les dossiers qu'un gouvernement pourrait rechercher[20] ».

---

15 Vincent Peillon et Arnaud Montebourg, *Rapport d'information n° 2311 sur la délinquance financière et le blanchiment des capitaux*, Assemblée nationale, 11 avril 2002 (*cf.* le témoignage de Renaud van Ruymbeke).

16 Hervé Falciani, *La cassaforte degli evasori*, Chiarelettere, 2015.

17 Denis Robert, *Révélation$*, Les Arènes, 2001.

18 Hervé Falciani, *op. cit.*, p. 95.

19 Caroline Le Moign, *Centres financiers offshore et système bancaire « fantôme »*, Centre d'analyse stratégique, note d'analyse n° 222, mai 2011.

20 Robert Mazur, « Follow the Dirty Money », *The New York Times*, 12 septembre 2010.

7. La surdité des économistes

Nombreux sont, notamment parmi les économistes, ceux dont les oreilles se ferment lorsque l'on évoque le phénomène que nous venons de décrire. Cela relève, disent-ils, de la « théorie du complot ». Ils estiment qu'une accumulation d'anecdotes, fussent-elles vraies, ne suffit pas à prouver que ce phénomène soit significatif.

Ils sont impressionnés par le sérieux dans la tenue et les propos qui est de règle dans la Banque. Celle-ci a, d'ailleurs, pour pouvoir innover dans les produits dérivés et programmer les algorithmes, recruté des économistes, mathématiciens et informaticiens de haut niveau, qu'elle paie fort bien : cela lui a naturellement procuré du prestige auprès de ces professions.

Les régulateurs qui devraient contenir les dérives de la Banque sont eux-mêmes intimidés. Toute régulation résulte d'une dialectique entre régulateur et régulé, qui partagent nécessairement le même vocabulaire et, souvent, les mêmes concepts : le régulé peut alors réussir à imposer au régulateur, sous prétexte de « professionnalisme » et en utilisant les procédés du lobbying, un modèle et des raisonnements qui écartent celui-ci de sa mission[21].

La surdité de la plupart des économistes nous semble cependant avoir des raisons encore plus profondes. La théorie économique s'est en effet bâtie dans la seconde moitié du XVIIIe siècle pour répondre aux besoins d'une industrialisation qui, s'appuyant sur la mécanique et la chimie, succédait à une économie principalement agricole.

Cette dernière, liée sur le plan institutionnel au régime féodal, était fondée sur l'équilibre approximatif qu'assurait une transaction globale entre la prédation et la charité, toutes deux exercées par la classe guerrière de propriétaires fonciers qui formait la noblesse[22], la charité passant par l'intermédiaire de l'Église[23].

L'industrie réclamait cependant, pour pouvoir s'approvisionner et distribuer ses produits, un marché libéré des péages, particularismes locaux et autres attributs de la féodalité, ainsi que la possibilité d'équilibrer chaque échange par une transaction qui lui soit propre : ces exigences ont contribué à faire naître l'État de droit.

La théorie économique, focalisée dès l'origine sur la production, l'échange et la consommation dans une société industrialisée, a donc ignoré la prédation (le prédateur, dit Littré, est « celui qui vit de proie »), non certes en niant son existence, car les économistes savent bien que l'industrialisation n'a pas mis un terme à l'action des malfaiteurs, mais en supposant que le raisonnement économique peut, sans rien perdre de sa pertinence, abandonner leurs méfaits aux journalistes et amateurs de faits divers [24].

---

21 Isabelle Huault et Chrystelle Richard, *Finance: The Discreet Regulator*, Palgrave Macmillan, 2012.

22 « Celui-là sera riche qui prendra de bon cœur », disait Bertran de Born (1140-1215).

23 Marc Bloch, *La société féodale*, 1939.

24 Les économistes utilisent le mot « prédation » non pour désigner le fait de s'emparer de quelque chose sans rien donner en échange, mais pour désigner l'altération des prix par le *dumping*.

8. La violence de l'économie du risque maximum

Tandis que l'informatisation offrait à la Banque des possibilités nouvelles, elle confrontait les entreprises à des difficultés. Lorsque la production des biens est, pour l'essentiel, automatisée, la fonction de coût se condense en effet dans le coût fixe de conception du produit, des automates et de leurs programmes, dans l'ingénierie de la production et l'ingénierie d'affaires, enfin dans l'investissement : presque tout le coût de production est ainsi dépensé avant que la première unité du produit ne soit vendue.

L'économie informatisée est donc l'*économie du risque maximum* : le marché visé par l'entreprise peut, lui, être fermé par l'initiative d'un concurrent, une réglementation imprévue ou d'autres accidents. La tentation est alors forte de limiter le risque en utilisant des procédés illicites : espionner les concurrents, attirer leurs compétences et, surtout, corrompre les acheteurs.

Or, la corruption est d'autant plus tentante, donc facile, qu'elle est plus discrète. Le blanchiment et le secret qu'offre la Banque informatisée sont devenus, pour une entreprise, des services absolument nécessaires dès lors que ses concurrents peuvent y avoir accès.

L'impunité que procure le blanchiment informatisé encourageant la corruption, elle se pratique à grande échelle dans l'univers violent de l'économie informatisée[25], et les lois qui la proscrivent sont appliquées avec retenue, car la corruption contribue à la compétitivité : la vertueuse Allemagne elle-même ne doit pas tous ses succès commerciaux à la seule qualité de ses produits[26].

La pensée néoclassique, qui s'est déployée à partir des années 1970, a fourni un alibi à ces comportements en prenant pour slogans la « création de valeur pour l'actionnaire », l'autorégulation des marchés et le retrait de l'État : tout s'est passé alors comme si le politique, confronté à une nature que l'informatisation transformait et qu'il ne pouvait plus comprendre, avait estimé qu'il ne fallait pas se soucier des risques qu'apporte l'informatisation. Il a ainsi libéré des tendances aujourd'hui évidentes dans la Banque, et qui se sont répandues de façon épidémique dans la société.

Les profits réalisés par la Banque, les rémunérations qui s'y pratiquent, ont en effet contaminé le monde des entreprises. Des niveaux de rentabilité extravagants sont exigés et les dirigeants des grandes entreprises obtiennent des revenus annuels dont le montant, étant celui de la valeur d'un patrimoine, représente une prédation et non la contrepartie d'un travail : leur classe a renoué avec les mœurs des « robber barons » qu'a décrites Veblen[27].

Les banques leur proposent en outre un service qui, combinant l'abus de biens sociaux, la fraude fiscale et le blanchiment, leur permet de s'enrichir encore davantage (il est rémunéré par 15 à 20 % des sommes transférées).

---

25 En témoignent les affaires EADS, Siemens, Alstom, Man, etc.

26 Jürgen von Dahlkamp et Jörg Schmitt, « Das Aufweich-Kommando », *Der Spiegel*, 2 avril 2012. Jürgen von Dahlkamp et Jörg Schmitt, « Schmiergeldaffäre: US-Behörden verklagen Ex-Siemens-Manager », *Spiegel Online*, 13 décembre 2011.

27 Thorstein Veblen, *Theory of the Leisure Class*, 1899. Thomas Piketty, *Le capital au XXIe siècle*, Seuil, 2013.

9. La Banque et le crime organisé

La Banque ne propose pas ses services aux seules entreprises et à leurs dirigeants : pour « produire de l'argent » les *traders* cherchent et trouvent des clients dans la délinquance ou même dans le crime organisé, la seule règle étant, encore, « pas vu, pas pris[28] ».

Le crime organisé sait tirer parti de l'informatisation pour blanchir ses profits. Cela lui permet de prendre le contrôle d'entreprises légales, qui ne rencontreront naturellement plus ensuite aucun problème de trésorerie et sauront donc s'imposer face à la concurrence[29]. Les fonds recyclés sont d'une ampleur macroéconomique : 20 % du PIB italien ont été détournés en 2009[30].

Le blanchiment informatisé est devenu une passerelle entre deux organisations du monde : l'organisation moderne de l'État de droit et l'organisation féodale du crime organisé, ce dernier s'entrelaçant avec l'organisation délictueuse de la Banque pour former une entité prédatrice qui met en œuvre, au plan mondial, une stratégie politique : il s'agit de rivaliser avec l'État pour instaurer ou restaurer un pouvoir de type féodal.

« Maintenant Cosa Nostra veut devenir l'État ; il faut atteindre cet objectif quel que soit l'itinéraire[31] », a déclaré un des membres de cette organisation. Des mafias ont effectivement pris le pouvoir dans des pays où certaines armées privées sont aussi puissantes que celle de l'État[32], et l'ubiquité de l'informatique leur permet de tisser des liens à travers les frontières : le phénomène est devenue une des composantes de la géopolitique.

Ces phénomènes n'ont pas échappé à la vigilance des États. La banque reconnue coupable d'un de ces délits (JPMorgan Chase, Goldman Sachs, BNP Paribas, Bank of America, Société Générale, Crédit Agricole, UBS, Royal Bank of Scotland, HSBC[33], Rabobank, Deutsche Bank, etc.) passe un compromis *(settlement)* avec la justice : la publicité d'un procès est alors évitée et l'affaire est classée, moyennant le paiement d'une amende qui se chiffre en milliards d'euros. Cet ordre de grandeur étant celui de la macroéconomie, ce fait devrait à lui seul attirer l'attention des économistes sur le phénomène de la prédation.

---

28 Myriam Quéméner et Yves Charpenel, *Cybercriminalité : droit pénal appliqué*, Economica, 2010. Tracfin, *Rapport d'activité 2010*. « Swiss Banks, Aiding and Abetting », éditorial du *New York Times*, 18 août 2011.

29 Roberto Saviano, *Gomorra*, Gallimard, 2007.

Nando dalla Chiesa, *La convergenza*, Melampo, 2010.

30 135 milliards d'euros de profit de la mafia, 100 milliards d'évasion fiscale et 60 milliards de corruption, soit 300 milliards en tout (source : Cour des comptes et ministère de l'Économie italiens).

31 « Adesso vogliono diventare Stato (...) Cosa nostra deve raggiungere l'obiettivo, qualsiasi sia la strada » (témoignage de Leonardo Messina en décembre 1992 devant la Commission antimafia).

32 Matthias Schepp et Anne Seith, « Einer gegen Putin », *Der Spiegel*, 16 juillet 2012.

33 Nathaniel Popper, « In Testimony, HSBC Official Resigns Amid Bank Apology », *The Times*, 17 juillet 2012.

10. Le risque d'un retour à la féodalité

L'informatisation ayant fait émerger l'économie ultra-capitalistique du risque maximum, il en résulte la tentation d'aller vers une société ultra-violente : la société évoluerait vers une forme ultra-moderne de féodalité, l'État de droit n'aurait été qu'un épisode temporaire lié à l'industrialisation. Les phénomènes que nous avons décrits en sont autant de signes précurseurs.

Pour rendre compte de cette situation, les économistes ne peuvent plus se contenter de modéliser la seule économie marchande : ils doivent élaborer le modèle, certes plus compliqué, qui rendra compte de la cohabitation de cette économie avec celle de la prédation et de la façon dont elles s'articulent, en communiquant par le canal du blanchiment, pour former l'économie réelle.

Il est évidemment impossible de supprimer complètement la prédation, qui répond à l'une des tendances de la nature humaine, mais il est possible de la contenir. Il faut, pour cela, que le législateur procure à la société les lois et règlements judicieux et que leur application soit assurée par un système judiciaire compétent.

Cela suppose que le législateur ait compris ce qui se passe, qu'il ait acquis une connaissance familière, sinon experte des techniques de la finance et de l'informatique, de telle sorte que sa décision soit orientée par une intuition exacte. Il faut aussi qu'il sache renoncer aux facilités financières discrètes que la Banque procure aux partis et à certains politiciens, grâce au blanchiment des revenus illicites. Est-ce trop demander ?

Le pouvoir exécutif a cependant longtemps rogné de façon significative les moyens accordés à la lutte contre la délinquance financière et la fraude fiscale : l'ampleur de ces moyens et la qualité des méthodes utilisées sont un indicateur précurseur de l'évolution de notre société.

Références

« Swiss Banks, Aiding and Abetting », éditorial du *New York Times*, 18 août 2011.

Marc Andreessen, « Why Software Is Eating The World », *Wall Street Journal*, 20 août 2011.

Jordan Belfort, *The Wolf of Wall Street*, Hodder & Stoughton, 2007.

Marc Bloch, *La société féodale*, 1939.

Jérôme Cazes, *555, jeudi rouge*, Éditions du Parc, 2011.

Nando dalla Chiesa, *La convergenza*, Melampo, 2010.

Jürgen von Dahlkamp et Jörg Schmitt, « Schmiergeldaffäre: US-Behörden verklagen Ex-Siemens-Manager », *Spiegel Online*, 13 décembre 2011.

Jürgen von Dahlkamp et Jörg Schmitt, « Das Aufweich-Kommando », *Der Spiegel*, 2 avril 2012.

Sean Dodson, « Was software responsible for the financial crisis? », *The Guardian*, 16 octobre 2008.

Richard Dooling, « The Rise of the Machine », *The New York Times*, 12 octobre 2008.

Charles Duhigg, « Pressured to Take More Risks, Fannie Reached Tipping Point », *The New York Times*, 4 octobre 2008.

Hervé Falciani, *La cassaforte degli evasori*, Chiarelettere, 2015.

Thomas L. Friedman, « Did You Hear the One About the Bankers? », *The New York Times*, 29 octobre 2011.

Jean-François Gayraud, *La grande fraude*, Odile Jacob, 2011.

Jean-François Gayraud, *Le nouveau capitalisme criminel*, Odile Jacob, 2014.

Diana B. Henriques et Jack Healy, « Madoff Goes to Jail After Guilty Pleas », *The New York Times*, 12 mars 2009.

Neville Holmes, « The Credit Crunch and the Digital Bite », *Computer*, janvier 2009.

Isabelle Huault et Chrystelle Richard, *Finance: The Discreet Regulator*, Palgrave MacMillan, 2012.

Ferdinando Imposimato, *Un Juge en Italie*, de Fallois, 2000.

Leo King, « Algorithmic stock trading rapidly replacing humans, warns government paper », *Computerworld UK*, 9 septembre 2011.

Caroline Le Moign, *Centres financiers offshore et système bancaire « fantôme »*, Centre d'analyse stratégique, note d'analyse n° 222, mai 2011.

Michael Lewis, *The Big Short*, Penguin Books, 2010.

Robert Mazur, « Follow the Dirty Money », *The New York Times*, 12 septembre 2010.

Joe Nocera, « The Good Banker », *The New York Times*, 30 mai 2011.

Joe Nocera, « Frankenstein Takes Over the Market », *The New York Times*, 3 août 2012.

Vincent Peillon et Arnaud Montebourg, *Rapport d'information n° 2311 sur la délinquance financière et le blanchiment des capitaux*, Assemblée nationale, 11 avril 2002.

Thomas Piketty, *Le capital au xxie siècle*, Seuil, 2013.

Nathaniel Popper, « Stock Market Flaws Not So Rare, Data Shows », *The New York Times*, 28 mars 2012.

Nathaniel Popper, « In Testimony, HSBC Official Resigns Amid Bank Apology », *The Times*, 17 juillet 2012.

Myriam Quéméner et Yves Charpenel, *Cybercriminalité : droit pénal appliqué*, Economica, 2010.

Denis Robert, *Révélation$*, Les Arènes, 2001.

Roberto Saviano, *Gomorra*, Gallimard, 2007.

Matthias Schepp et Anne Seith, « Einer gegen Putin », *Der Spiegel*, 16 juillet 2012.

Tracfin, *Rapport d'activité 2010.*

Thorstein Veblen, *Theory of the Leisure Class*, 1899.

Michel Volle, *Prédation et prédateurs*, Economica, 2008.

PARTIE 3

Les leviers de réussite dans l'iconomie

SOMMAIRE

Chapitre 6

Nouveaux modèles d'affaires ou modèles iconomiques ?[1]

*Pierre-Jean Benghozi**

* *Directeur de recherche au CNRS et professeur à l'École polytechnique.*

1 Ce chapitre s'appuie largement, avec leur aimable autorisation, sur une contribution déjà publiée dans les *Cahiers de l'Arcep*, n° 10, avril-juin 2010.

Le taux très rapide de renouvellement des TIC constitue une évidence partagée et fréquemment soulignée. Les caractéristiques économiques plus spécifiques de ce trait sont moins souvent évoquées ou discutées. La structure particulière des changements techniques pèse pourtant d'un poids tout aussi important que leur fréquence.

L'émergence de l'économie numérique a consacré le terme même de *business model*, qui fait désormais partie à part entière du langage du management et de la stratégie. Les évolutions qui se mettent en place autour des nouveaux réseaux montrent que ces modèles d'affaires ne sont plus simplement l'aboutissement et la concrétisation de la succession de décisions stratégiques concurrentielles prises en matière de prix, de produits ou de relations clients. C'est désormais dans la configuration – le *design* – de ces modèles d'affaires que se joue, très directement, la concurrence entre firmes, la redéfinition des chaînes de valeur et, plus profondément, la structuration même des usages sociaux : modes de consommation, stimulation d'échanges entre pairs, rapport au territoire. Cette dimension essentielle explique la multiplication, la diversité, mais aussi la très forte instabilité des modèles d'affaires observables aujourd'hui sur Internet.

La caractérisation de tels modèles passe par la résolution de plusieurs questions qui, aussi simples puissent-elles être, fournissent les bases d'une identification des différentes architectures de marché. Quels types de services sont offerts aux consommateurs ? Qui contrôle la relation finale avec le consommateur et qui peut vendre l'offre de service ? Faut-il un mécanisme de facturation – et si oui lequel utiliser pour procurer un revenu ? Quelles sources de revenu sont-elles envisageables (publicité, abonnements) ? Comment se gère l'accès au réseau ? Qui assure la conception, le développement et la livraison de contenus attractifs ? Quelles sont les capacités d'investissement de chaque acteur ? Quelles synergies y-a-t-il entre activités existantes ?

L'analyse du succès des modèles dits *low cost* permet par exemple de comprendre comment l'omniprésence, grâce aux TIC, des préoccupations de contrôle de gestion gouverne la rentabilité et la performance des entreprises. La force de ces modèles tient moins à une recherche systématique d'économies et de réduction des coûts (« *cost killing* ») qu'à une capacité de penser rationnellement, mesurer, contrôler et optimiser dépenses, investissements et recettes grâce à l'utilisation méthodique des outils d'information. Cette capacité de repenser complètement l'organisation et sa structure de coût est particulièrement évidente chez des entreprises comme Easyjet ou Free. Elle tire sa grande force de l'évolution simultanée de l'offre proposée aux consommateurs et de la chaîne de valeur associée. C'est bien de modèles d'affaires d'ensemble dont il s'agit : leur spécificité tient justement dans la capacité de penser simultanément une réorganisation profonde de la production (*lean management*, usage intensif des technologies, gestion des systèmes d'information, traitement du *big data*) et un positionnement stratégique tarifaire d'entrée de gamme.

Se dessinent ainsi désormais des innovations au caractère à la fois modulaire et radical, facilitant des modalités élargies d'appropriation et ouvrant des possibilités d'action quasiment sans limites. Les différents acteurs économiques peuvent ainsi reconcevoir leurs offres et redessiner, dans tous les secteurs de l'industrie et des services, les structures traditionnelles de marché. Des biens et des services analogues sont aujourd'hui conçus, envisagés, assurés et valorisés à partir de positions et de ressources technologiques radicalement différentes. Le renouvellement de l'offre de transports collectifs en fournit un parfait exemple. À côté des sociétés de taxi traditionnelles, de tels services sont désormais proposés aussi sous la forme de modes collaboratifs de covoiturage (Blablacar), en professionnalisant le recours aux voitures personnelles par le *crowdsourcing* (Uber), en développant des parcs de voitures partagées en location (Autolib), ou en élargissant et complétant l'offre des transports de voyageurs (SNCF).

Ces possibilités sans limite de reconfiguration du système technique remettent brutalement en cause les modèles d'affaires et les structures compétitives des filières industrielles existantes : elles sont d'ailleurs accusées de contourner les régulations et contraintes historiques de ces secteurs. Le *crowdsourcing* et le *crowdfunding* suscitent ainsi des formes de professionnalisation et de rémunération inédites (auto-entrepreneurs ou autoproducteurs, par exemple). L'économie collaborative élargit le marché de l'offre à des populations sans emploi ou en recherche de compléments de revenus, en concurrençant, ce faisant, des modèles historiques parfois séculaires de prestation de services (hôtellerie avec AirBnB, taxis avec Uber, ingénierie et travail intellectuel avec Amazon Mechanical Turk, agences photographiques avec Istockphoto...). La substitution d'offres de service par abonnement aux ventes de produits donne, en revanche, aux fabricants l'opportunité de garder une relation traçables avec leurs clients, sur la durée, au lieu de devoir reconstruire l'attractivité du produit, le positionnement concurrentiel et le déclenchement de l'acte d'achat pour chacune des acquisitions épisodiques : une telle opportunité est recherchée notamment par les constructeurs automobiles dans les voitures électriques et connectées. Dans chacun de ces cas, la prise en compte de l'usage et du consommateur encourage des formes inédites de monétisation autour de plateformes d'intermédiation.

Les innovations dans l'économie numérique trouvent donc leur source dans les modes d'articulation entre infrastructures, terminaux et applications. La labilité et l'omniprésence des technologies numériques favorisent des recombinaisons constantes entre les différents registres techniques, les contenus, les services, les applications et les infrastructures. L'importance, pour l'innovation et le développement de contenus, de cette articulation entre différentes couches techniques n'est pas une nouveauté radicale : un apport majeur de travaux récents en management pointe justement le poids des écosystèmes industriels et de la complémentarité de leurs composants.

L'inventivité renouvelée de ces modèles est cependant aussi le support d'antagonismes inhabituels : ils opposent les investissements et efforts d'innovation soutenant les modèles d'affaires (on dénombre par exemple plusieurs centaines de plateformes de musique ou de VOD pour le seul marché français), à ceux qui s'opèrent sur la création de contenus et de services, et à ceux qui portent sur le développement de la R&D et des infrastructures technologiques (réseaux, équipements ou terminaux).

Face à ces évolutions, ni les acteurs économiques ni la puissance publique ne disposent toujours des moyens pour penser et anticiper les transformations à l'œuvre. Les différents pays agissent dans ce cas en ordre dispersé. C'est bien ce que montrent les débats récents autour d'Uber ou de la fiscalité des grandes entreprises dématérialisées du numérique (GAFA[2]). De même, des discussions européennes sont engagées

2 Google, Apple, Facebook, Amazon.

autour du droit d'auteur pour prendre en compte ou répondre aux modes inédits de diffusion et de valorisation accompagnant le poids grandissant des services de *streaming* ou de vidéo (Spotify, Deezer, Netflix...). Le débat engagé depuis une dizaine d'années – mais toujours vif – sur la neutralité du Net atteste également de la difficulté de tenir compte, dans la régulation, des nouvelles relations entre opérateurs et fournisseurs de services en ligne.

Les différentes manières de configurer des systèmes d'offre, à partir de plateformes ou de bases techniques similaires, contribuent ainsi au foisonnement et à l'instabilité des modèles d'affaires en concurrence : on trouve par exemple plusieurs centaines de sites proposant de la musique enregistrée, en téléchargement ou en écoute ; le nombre de sites de presse et médias est du même ordre de grandeur. Le développement des objets connectés en offre tous les jours de nouvelles illustrations.

Il existait déjà, avant l'arrivée de l'Internet, des prémices de cette économie de l'hyperoffre[3]. Le phénomène a plusieurs origines. Il résulte d'abord de stratégies éditoriales consistant à répondre au risque de production par la multiplication d'innovations, testant ainsi auprès du public de nouveaux concepts... dans l'espoir que l'un d'eux décroche le succès. Ces comportements s'accentuent sur Internet, car ils s'y doublent d'autres effets. La numérisation et la quasi-absence de limitation physique au stockage et à la diffusion permettent une accumulation « mécanique » : l'ensemble des services et contenus disponibles ne fait que croître, car chacun peut rester désormais accessible. La masse des contributeurs amateurs ou aspirants professionnels disposés à mettre leurs productions en ligne pour se faire reconnaître contribue encore à l'explosion des contenus.

De manière paradoxale, face à une telle abondance de l'offre, ce ne sont plus nécessairement les contenus et les services qui ont une valeur en soi, mais les modèles économiques de production et de consommation dans lesquels ils s'inscrivent. Dans le transport de voyageurs, par exemple, ce n'est pas seulement le déplacement en soi entre A et B que cherche d'abord le consommateur, mais, éventuellement, la bonne qualité du transport, la fréquence des voyages, la prévisibilité permettant une meilleure anticipation des déplacements et des coûts, voire le simple niveau du prix[4].

La multiplication de ces modèles et des manières de mettre des services à disposition ne constitue pas un simple phénomène transitoire lié à la phase d'émergence de l'économie numérique. Elle marque, plus largement, des stratégies systématiques d'innovation et d'exploration de modèles d'affaires alternatifs, à même d'assurer pérennité, rentabilité ou captation d'audiences. D'où, d'ailleurs, les mécanismes continus d'ajustement qu'opèrent les fournisseurs de contenus et de services en ligne pour renouveler leur offre et expérimenter des solutions originales. Les cas de la presse ou du jeu vidéo sont tout à fait symptomatiques de ce point de vue : ils voient alternativement se succéder *paywall*, *freemium*, gratuité totale, micropaiements... La tentative récente d'Universal et d'autre *majors* du disque de remettre en cause

---

3 Cette hyperoffre a pour corollaire le développement d'une économie de l'attention et de la prescription, indispensables pour aider le consommateur à « s'y retrouver » dans la masse des offres disponibles.

4 Le succès de sites comme Lastminute.com repose ainsi sur le choix d'une disponibilité et d'un prix plus que sur le choix *a priori* d'un lieu de villégiature. D'ailleurs, certaines compagnies aériennes proposent même des offres « à l'aveugle », sans préciser *a priori* la destination.

le modèle *freemium* de Spotify au profit d'un basculement vers le tout payant est aussi un bel exemple de la difficulté de maîtriser ces schémas radicalement nouveaux de la part des acteurs en place.

Dans cette multiplicité, une difficulté particulière tient à l'opposition entre deux façons radicalement différentes d'envisager le modèle d'affaires, selon que la stratégie est de type industriel ou financier. Dans le premier cas, les entreprises recherchent, d'une manière ou d'une autre, une rentabilité de l'activité permettant de générer marges commerciales et amortissement des investissements. Dans l'autre cas, au contraire, les entreprises cherchent à assurer au premier chef leur croissance par la construction rapide d'une audience massive, afin de stimuler une valorisation financière plus spéculative, dans la perspective de succès futurs. C'est ainsi que la capitalisation boursière actuelle de Tesla, encore tout petit constructeur innovant de véhicules électriques, égale celle de Renault, de même que la valorisation de la plateforme AirBnB a dépassé celle du groupe Accor.

Dans l'économie numérique, et pour ces mêmes raisons, les positions dominantes peuvent être toutefois très fragiles et les positions des *leaders* connaître des revirements spectaculaires : pensons aux succès passés de Yahoo, AltaVista, AOL, Blackberry, Nokia... Une telle instabilité a même influencé la régulation de la concurrence puisque, dans une jurisprudence très récente de décembre 2013, le tribunal de l'Union européenne a énoncé, à propos de l'acquisition de Skype par Microsoft, que « dans la nouvelle économie, des parts de marché très élevées et un fort degré de concentration – même 80 % – ne sont pas forcément des indices pertinents de pouvoir de marché, parce que ces parts de marché peuvent être éphémères ».

Internet a donc constitué un support incomparable pour favoriser, *via* l'émergence de modèles d'affaires diversifiés et originaux, l'apparition de nouveaux entrants, supports d'une inventivité constamment renouvelée et de positionnements inédits autour, notamment, des fonctions d'agrégation et de recommandation. Dans ces mouvements, les industries de contenus ont été emblématiques de la manière dont les filières de distribution ont évolué dans d'autres secteurs industriels : par l'apparition de nouveaux entrants, puis par la concentration autour des acteurs historiques dominants du marché, ensuite par l'émergence de spécialistes dédiés à l'optimisation de certaines fonctions (achats et approvisionnements, flux transactionnels), enfin par la consolidation de plateformes d'agrégation et de distribution usant d'une mobilisation intense des TIC.

Un bel exemple du succès et du caractère original de tels positionnements est fourni par le groupe chinois Alibaba, fondé en 1999, introduit en Bourse à Wall Street en 2014 et valorisé à près de 200 milliards de dollars. Son succès a tenu à sa capacité de construire, autour d'un moteur de recherche et d'une plateforme de marché B2B[5], un écosystème et modèle d'affaires permettant d'acheter ou de vendre en ligne

5 L'importance des relations B2B, soulignée par le succès d'Alibaba, n'est pas exceptionnelle. Elle a été également la base du premier *business model* de Blablacar : des centaines de plateformes de covoiturage fournies aux entreprises en SaaS sur des intranets. À côté de cette offre, le site grand public de Blablacar visait surtout, au départ, le covoiturage de longue distance, pendant le week-end. Le modèle d'ensemble de la société a ensuite évolué pour assurer la croissance et les coûts exponentiels du B2C, impossibles à financer par la seule vente de plateformes de covoiturage au développement plus linéaire.

partout dans le monde, en l'élargissant ensuite progressivement au commerce électronique grand public, aux systèmes de paiement en ligne, au *cloud computing*...

De telles dynamiques conduisent à l'existence de structures alternatives concurrentes : des plateformes issues des secteurs traditionnels de l'industrie et de la distribution traditionnelle d'un secteur donné, de nouveaux entrants construisant des positions puissantes à partir d'une offre d'agrégation et de la maîtrise des informations, des acteurs du commerce électronique se diversifiant à partir de leur maîtrise des fonctions logistiques et de vente en ligne. C'est bien tout l'enjeu, aujourd'hui, de la voiture connectée où des écosystèmes et consortiums concurrents qui se forment autour d'Android ou des constructeurs automobiles. De nouvelles formes de compétition s'esquissent ainsi autour des objets connectés : compétition à partir de la fourniture du service (EDF ou Veolia pour les compteurs intelligents), à partir de nouveaux entrants (effaceurs d'énergie proposant des compteurs), opérateurs télécoms intégrant la maîtrise des objets à partir de la gestion des réseaux et des abonnements, fournisseurs de matériels tels que des thermostats (Withings), plateformes de données (Google[6]).

Les modèles économiques se structurent ainsi par une réorganisation des stratégies à l'intérieur des chaînes de valeur, en affectant simultanément leur amont et leur aval, à l'image de Google, Facebook, Amazon ou Yahoo !, qui investissent simultanément dans de la fibre optique, des ballons ou des drones pour créer des infrastructures d'accès internet, et dans l'acquisition d'applications spécifiques, à même d'enrichir leurs plateformes de services (WhatsApp, Waze, Tumblr, Instagram...).

Dans un cas, il s'agit de contrôler une filière en construisant une position dominante d'agrégateur par la maîtrise amont, notamment, des cessions de droits d'exploitation et des accords d'exclusivité, ou bien des infrastructures. Cette intégration des filières industrielles par l'amont s'explique par plusieurs facteurs : la sécurisation des approvisionnements appelle l'instauration de relations de longue durée entre fournisseurs et distributeurs et la recherche d'exclusivité sur des produits à forte notoriété, pour attirer des consommateurs et imposer des modalités de transaction (offres de services groupés, engagement de longue durée).

Dans l'autre cas, les acteurs cherchent à tirer profit de la dématérialisation et des effets d'échelles pour accéder, en aval, à de nouveaux marchés de niche, afin de maîtriser et de fidéliser les relations existantes avec les clients et de réduire les coûts de transaction associés. Ce processus d'intégration de la filière par l'aval touche le cœur de l'activité des plateformes électroniques (base de données, gestion des catalogues électroniques, intégration informatique), les fonctions de personnalisation de l'offre au client (offres « customisées », propositions commerciales, ciblage) et la formalisation de la relation commerciale par de nouveaux types de contrats favorisant fidélisation et abonnements (Appstores, par exemple). C'est d'ailleurs là tout l'enjeu du *big data* : valoriser les capacités, offertes par les TIC, de traçabilité, d'historicisation, d'identification des transactions, des utilisateurs, des usages, des ressources et données de tous ordres. En permettant, de manière systématique et automatique, la collecte et le croisement des données à une échelle tout à fait

6 Google a ainsi récemment acheté, pour 3,2 milliards de dollars, Nest, le leader mondial des thermostats connectés.

nouvelle, ces outils ont radicalement élargi et transformé le champ des méthodes traditionnelles de marketing, donnant désormais aux algorithmes et aux outils de suivi et de recommandation une toute première place dans les ressources stratégiques compétitives du numérique.

Dans les industries de contenus plus encore que dans les secteurs industriels traditionnels, la capacité de concevoir de nouveaux services et de structurer de nouveaux modèles d'affaires tient à cette articulation nouvelle qui s'opère entre les supports technologiques de l'information d'une part, les nouvelles formes de diffusion de contenus de l'autre. L'arrivée sur le marché des biens culturels des offreurs de technologie ou des opérateurs de télécommunications ne se traduit donc pas seulement par un rééquilibrage, elle bouleverse structurellement les modèles d'affaires et l'architecture des filières économiques du contenu : dématérialisation des supports, forfaitisation des achats et gratuité sont les pointes émergées de cet iceberg.

Le secteur des industries culturelles est apparu, à bien des égards, comme un laboratoire d'expérimentation très largement précurseur des nouveaux modèles d'affaires de l'Internet. Citons le rôle important et tout à fait singulier aujourd'hui de la gratuité, dont les modalités existent depuis longtemps dans les médias (pensons à la radio ou à la télévision), et par lequel la culture a largement exploré les solutions économiques associées.

Les raisons de ce caractère exemplaire tiennent à la fois à la place de ces industries dans l'économie[7] et à leurs spécificités. Si les industries culturelles apparaissent aussi inventives et « créatives » dans leurs modèles d'affaires, cela tient à certaines de leurs caractéristiques structurelles, qui en font un secteur emblématique : la dimension immatérielle de leurs contenus, l'articulation spécifique qu'elles opèrent entre valeur symbolique et valeur d'usage, le renouvellement permanent des formes et des contenus stylistiques, l'exceptionnel attrait des consommateurs pour les contenus ayant soutenu la croissance remarquable des GAFA et motivant une large part des abonnements aux infrastructures de réseaux à très haut débit.

Cette position d'avant-garde des transformations du numérique éclaire les grandes dynamiques qui façonnent aujourd'hui ce qu'on pourrait qualifier de modèle iconomique : le poids de nouveaux entrants dans des secteurs installés (cas d'Amazon dans l'édition ou d'Apple dans la musique), le caractère disruptif des technologies supports et services associées (cas de Google Books dans l'édition, par exemple), la radicalité des formes alternatives de valorisation (CD remplacés par le téléchargement de titres à l'unité, puis par des formes nouvelles d'écoute en ligne, gratuite ou par abonnement), le rôle prépondérant des portails communautaires et plateformes d'agrégation de contenus (cas des sites de photographie ou d'audiovisuel comme Flickr ou Dailymotion), la mise en avant d'une économie de la prescription remettant en cause l'économie des systèmes classiques de distribution des contenus, y compris dématérialisés (cas de Google Actualités, par exemple), ou encore la variété des modes de commercialisation ouverts en parallèle (cas des jeux vidéos).

---

7 *Cf.* le poids des industries créatives dans le PIB et la balance des paiements.

Références

Anderson, C., (2009), *Free!: the Past and Future of a Radical Price*, New York, Hyperion.

Benghozi, P.-J. éd. (2012), « Entreprises culturelles et internet : contenus numériques et modèles d'affaires innovants », Culture-Média & Numérique, Paris, ministère de la Culture et de la Communication.

Benghozi, P.-J., Lyubareva, I., (2013), « La presse française en ligne en 2012 : modèles d'affaires et pratiques de financement », Paris, ministère de la Culture et de la Communication, *Culture Études*, n° 3, juin.

Benghozi, P., (2010), « Pourquoi parler de nouveaux modèles d'affaires ? », Les cahiers de l'ARCEP, Autorité de régulation des communications électroniques et des postes, n° 2, avril-mai-juin 2010, p. 20-21.

Benghozi, P.J., Bureau, S. et Massit-Follea, F., (2009), *The Internet of Things: What challenges for Europe?* (publication bilingue), « praTICs », Éditions MSH.

Benghozi, P.J. et Paris, T., (2007), "The economics and business models of prescription in the Internet", *in* Brousseau, E. et Curien, N. eds., *Internet and Digital Economics – Principles, Methods and Applications*, Cambridge (Mass), Cambridge University Press, p. 291-310.

Chantepie, P., Le Diberder, A., (2010, 2005 1e éd.), *Révolution numérique et industries culturelles*, Paris, La Découverte.

Chesbrough, H.W., (2003), *Open Innovation, the new Imperative for Creating and Profiting from Technology*, Boston, Harvard Business Press.

Colin, N. et Verdier, H., (2012), *L'âge de la multitude, Entreprendre et gouverner après la révolution numérique*, Ed. Armand Colin.

De Prato, G., Sanz, E., Simon, J.P. (eds), (2014), *Digital Media Worlds; The new media economy*, Oxford, Palgrave.

Flichy, P., (2010), *Le sacre de l'amateur*, Paris, « La République des idées », Seuil.

Frank, R.H. et Cook, P.J., (1996), *The Winner-Take-All Society: Why the Few at the Top Get So Much More Than the Rest of Us*, Reed Business Information.

Gawer, A. éd. (2009), *Platforms, Markets and Innovation*, Cheltenham, Edward Elgar.

Huberman, B.A., Romero, D.M., Wu, F., (2009), "Crowdsourcing, attention and productivity", *Journal of Information Science*, 35 (6), p. 758-765.

Rheingold, H., (2002), *Smart Mobs: The Next Social Revolution*, New York, Basic Books.

Surowiecki, J., (2005), *The Wisdom of Crowds*, New York, Anchor Books.

Zott, C., Amit, R. et Massa, L., (2010), "The Business Model: Recent Developments and Future Research", *Journal of Management*, 37(4), p. s1019-1042.

Chapitre 7

Étude de cas : Alibaba, une prospective stratégique

*Francis Jacq**

Sommaire

* Ingénieur, philosophe et sémiologue, a accompagné l'informatisation de multiples entreprises. Co-animateur de l'Institut de l'Iconomie.

1. Alibaba en France : une prospective stratégique

1.1. Une bonne nouvelle pour le commerce français ?

Le 18 mars 2015, en conclusion d'une rencontre avec François Hollande, Jack Ma, fondateur et dirigeant de la plateforme chinoise Alibaba, captant 90 % du marché chinois d'e-commerce, a annoncé qu'il ouvrira en octobre 2015 une « ambassade » à Paris, afin que les entreprises françaises puissent utiliser sa plateforme internet pour commercialiser leurs produits en Chine.

Que penser de cette annonce ? Dans le cadre de la tendance au déséquilibre commercial croissant entre les deux pays, elle apparaît comme une bonne nouvelle. En 2000, le déficit commercial entre la France et la Chine, Hong Kong inclus, était de 5,7 milliards d'euros. En 2013, il était de 25,9 milliards d'euros. Cette tendance déficitaire s'explique, selon la direction générale des douanes, par *« la vive progression des importations de produits informatiques, électroniques et optiques, désormais assemblés en Chine »*. Aujourd'hui, la Chine est le premier déficit commercial français, devant l'Allemagne. Cependant, dans les points forts de la spécialisation française, les exportations vers la Chine ont progressé en 2013 : + 3,3 % pour l'agroalimentaire, + 13,4 % pour la santé et les cosmétiques, + 15 % pour ce qui relève de la ville durable et + 22 % pour certaines niches numériques.

Pour beaucoup d'entreprises françaises, l'implantation sur le marché chinois offre l'opportunité de vendre à une nouvelle classe de consommateurs urbains à hauts salaires, qui se comptent en plusieurs centaines de millions. Le goût de cette classe urbaine pour les produits de luxe français est connu. La qualité des produits français est un atout. Par exemple, celle du lait en poudre destiné aux bébés. Dans le Finistère, un investissement de 100 millions d'euros assurera la transformation de 208 millions de litres de lait par an pour le marché chinois, avec la création de 160 emplois. Cet investissement est porté à 90 % par l'agro-industriel géant chinois Synutra et à 10 % par Sodiaal, première coopérative laitière française[1].

L'annonce de Jack Ma s'inscrit dans un dialogue initié par Laurent Fabius, qui a fait de la « diplomatie économique » l'un des fers de lance de son action. En mai 2014, le gouvernement français avait signé un protocole d'entente[2] avec le groupe Alibaba, dans le but de promouvoir les marques françaises en Chine et d'aider les PME françaises à s'implanter sur la plateforme de commerce électronique B2C Tmall.com, filiale d'Alibaba. C'est l'accès en un clic à plus de 300 millions d'acheteurs chinois ! Suite à cet accord, les marques L'Occitane, Lancôme, Buccotherm, Orchestra, Villebois, etc. ont fait leur entrée sur Tmall.com. Depuis, une centaine de marques françaises utilisent la « chaîne d'approvisionnement européenne d'Alibaba ». Les cavistes, les exploitations agricoles, les producteurs marins et d'autres fournisseurs de France et d'Europe proposent aux consommateurs chinois la livraison directe de produits frais comme le fromage, le vin rouge, le foie gras, les huîtres, les desserts et les chocolats de la Saint-Valentin.

1 http://www.alimenterre.org/ressource/chine-investit-lait-bretagne

2 http://bfmbusiness.bfmtv.com/entreprise/fabius-sallie-alibaba-vendre-made-in-france-775849.html

1.2. La rencontre de deux cultures

Pour rendre sa plateforme de vente Tmall.com accessible, Alibaba a confié à Neteven, société française spécialisée dans l'interconnexion, l'agrégation des flux, ainsi que la traduction et l'intégration des catalogues des marques françaises. Tmall.com, de son côté, a mis à disposition des équipes chargées des questions juridiques, qui doivent trouver des prestataires pour organiser le stockage, le transport des colis, les réclamations, etc.

« *Les marques européennes vont pouvoir vendre en Chine directement depuis l'Europe. Cela concernera même celles qui n'ont pas leur propre réseau de sous-traitants dans le pays* », indique Greg Zemor, ancien d'eBay et fondateur de Neteven. Cependant, Alibaba n'a pas confié à la société française l'exclusivité de ses opérations en Europe. « *C'est la première collaboration de cette nature avec une entreprises française BtoB* », annonce une porte-parole du groupe, qui précise : « *Nos collaborations sont ouvertes et il appartient entièrement à chaque marque de choisir le tiers de leur choix* ». Neteven doit donc s'attendre à l'apparition de concurrents européens.

Il parait évident que Tmall.com est la porte d'entrée au marché des consommateurs urbains chinois. L'utilisation des réseaux de distribution chinois évite d'investir dans des équipes de vente et des boutiques dont le succès est incertain. Ainsi, l'enseigne Paul a dû fermer ses sept boutiques chinoises à cause d'un différend avec son franchisé, qui ne respectait pas les standards imposés par la marque. Dans un réseau unique, une nouvelle culture marketing est partagée *de facto* entre Chinois et Européens. Des services qui sont normaux pour la Chine vont bousculer les habitudes européennes : servir à toute heure ; faciliter le *shopping* en gardant les enfants le soir ; multiplier les accès réservés, les adresses pour initiés et les parcours initiatiques ; créer des éditions limitées vendues dans une seule et unique boutique ; divertir sur le point de vente ; créer des expériences inoubliables ; tester les produits avant l'achat ; raconter des histoires interactives sur le web ; mettre en scène les marques dans des miniséries télé et cinéma ; se réapproprier le passé ; enseigner les bons gestes du maquillage ; s'initier aux subtilités des parfums ; éduquer aux valeurs du luxe et du savoir-faire artisanal ; épouser les codes populaires avec des décors de lampions rouges ou des accessoires inspirés du folklore traditionnel chinois ; célébrer le goût des Chinois pour la poésie, la féerie, l'onirisme, le mélange des genres et des styles.

1.3. La nécessité d'une analyse stratégique

Au delà de la bonne nouvelle, une analyse stratégique s'impose. Que gagnons-nous ? Que perdons-nous ? Au plan financier, tel Cerbère, l'ancestral gardien de l'accès aux Enfers, symbole des gardiens des ponts et des portes, Alibaba est le seul bénéficiaire de la commission de service facturée sur chaque transaction. Ce qui différencie le réseau internet d'un pont ou d'une porte de ville est la quasi-gratuité de l'augmentation du flux passant par le réseau. Il est coûteux de bâtir un second pont ou une seconde porte. En revanche, une fois mis au point, un logiciel de gestion des transactions peut servir aussi bien mille clients que mille millions de clients. Donnons-nous un ordre de grandeur. Au regard d'un développement logiciel d'un million d'euros, pour un euro de commission moyenne pour un total de

2500 millions de transactions sur cinq ans, le montant total du profit s'élèverait à 2499 millions d'euros !

Le coût marginal d'une nouvelle transaction est négligeable. Alibaba, pour augmenter son profit, doit simplement respecter deux règles : laisser à d'autres le coût d'implantation et de gestion des plateformes logistiques et augmenter le nombre de transactions en faisant se rencontrer de nouveaux fournisseurs et acheteurs.

Ces deux règles se retrouvent dans le terme d'« ambassade » utilisé par Jack Ma. Il s'agirait juste d'un lieu pour se rencontrer et se connaître mutuellement. En l'occurrence, il semblerait que la Poste prendrait en charge l'implantation d'une plateforme logistique en France. Nos dirigeants ont-ils mesuré les espérances de profit de l'e-commerce franco-chinois ? Ont-ils évalué le potentiel des dangers pour l'économie française de cette « ambassade » ? La quasi-gratuité de la production numérique est, à condition d'être le premier à agir, le levier d'un monopole sur un e-marché. Si nous donnons à Alibaba la facilité de devenir un monopole, alors tout le profit du marché européen des transactions économiques ira à la Chine.

1.4. L'ÉCONOMIE INTERNET : DES MÉCANISMES PUISSANTS MAIS MÉCONNUS

Comprenons comment se développe ce monopole. L'économie internet sort du cadre des doctrines économiques classiques. Elle est régie par *l'effet de réseau*. Au début du réseau, il y a une transaction initiale : un fournisseur B vend un produit à un client C1. Puis C1 vante le produit auprès d'un autre client C2, qui l'achète, en est content et pousse un troisième client C3 à l'acheter. Une dissymétrie apparaît entre les connaissances des relations économiques. D'un côté, la relation BtoC induit une connaissance simple : ce que B et C peuvent partager l'un avec l'autre. De l'autre côté, le réseau des relations BtoC1toC2toC3 induit des connaissances complexes, qui ne peuvent se structurer qu'à l'aide de logiciels d'analyse des données. Un seul acteur a accès à ces connaissances complexes, en stockant et analysant les traces des relations et des transactions : c'est l'initiateur de la plateforme d'e-commerce.

La maîtrise des données BtoC1toC2toC3 (les *Big Data*) est un enjeu clé, car leur possession permet de comprendre les démarches des clients et les facteurs d'influence le long de la chaîne C1toC2toC3. L'enrichissement de l'expérience client permet de développer la chaîne en C3toC4toC5toC6. Une personne qui veut acheter un produit ira de préférence là où le chaînage des clients est le plus dense : c'est *l'effet d'attractivité*. Première conséquence : il est difficile pour une seconde plateforme concurrente de s'implanter, car il faut investir beaucoup en marketing et en communication pour créer une attractivité équivalente. Seconde conséquence : en orientant le développement des chaînes d'influence et en négociant la vente des connaissances complexes, la plateforme est en mesure d'arbitrer entre différents fournisseurs B. Les mêmes effets de réseau et d'attractivité interviennent dans les transactions B2toB.

La plateforme n'a donc pas intérêt à offrir gratuitement de l'attractivité à une marque. Par exemple, si une entreprise choisit d'ouvrir une boutique en ligne sur Tmall.com, elle n'aura qu'une marge de manœuvre réduite en ce qui concerne son « look and feel » et la convivialité apportée à l'expérience utilisateur. Les e-détaillants, dont les ventes reposent pour beaucoup sur une image et une identité fortes (mode, luxe, alimentaire), se plaignent qu'Alibaba restreigne leur capacité à créer une expérience client en ligne satisfaisante et surprenante, comme le permettrait un site internet dédié.

En utilisant Tmall.com, les détaillants autorisent Alibaba à gommer la relation entre la marque de l'entreprise et les clients, notamment les clients utilisateurs de mobiles. Ils perdent alors l'expérience client élaborée au fil du temps, et la possibilité de gérer et d'influencer directement le parcours d'achat du client.

Donc tous les déposants d'Alibaba ne peuvent pas afficher leur marque en affichage direct. Ils sont dépendants de la « marque ombrelle Alibaba ». Dans un site comme Tmall.com, la stratégie marketing est en effet celle de la marque ombrelle, qui consiste à mettre en avant certains produits, tout en reléguant d'autres à l'arrière-plan. On notera que Laurent Fabius a demandé à Jack Ma non seulement d'intégrer les produits français au catalogue de Tmall, mais aussi de les mettre en avant.

L'essor du *shopping* mobile, via le *smartphone* ou la tablette, complique la maîtrise des données client. La Chine, premier marché mondial du *smartphone*, a enregistré plus de 27 milliards de dollars de ventes réalisées via les appareils mobiles en 2013. Le *shopping* mobile oblige à penser la relation client sur tous les canaux relationnels, électroniques comme physiques (magasins, médias papier, produits distinctifs). Ce qui semble propre aux réussites d'Auchan et de Carrefour est le développement concomitant de leurs marques propres en omnicanaux, de leurs effets de réseau et effets d'attractivité, aussi bien en Europe qu'en Chine. De fait, ils ne peuvent se développer qu'hors d'Alibaba. Ils se retrouvent dans une position concurrentielle délicate.

1.5. Alibaba, une vague de fond qui capterait l'e-commerce français

Alibaba est aujourd'hui en position de générer et de tracer un réseau qui va tisser des liens entre tous les acteurs économiques entre la Chine et l'Europe. La réversibilité des marchés est inévitable. Déjà, des entreprises françaises créent en Chine des produits qu'elles vendront en Europe : Hermès y développe la marque chinoise Shang Xia pour la vendre à Paris. Aux nouvelles entreprises françaises vendant en Chine, des entrepreneurs chinois proposeront des affaires. Des produits chinois déjà vendus en Europe seront recustomisés et plus attractifs : cela fera encore plus croître le déficit commercial ! Dans quelques années, imaginons ce scénario : *via* Tmall.com, où leurs catalogues respectifs seront hébergés, des entreprises françaises vendront et achèteront à des entreprises françaises. Tout l'e-commerce français sera supporté et réglementé par une entreprise chinoise.

Les questions importantes sont : toutes les entreprises françaises commerceront-elles à terme *via* cette plateforme ? Alibaba sera-t-il l'arbitre du commerce des produits européens ? Les investissements de marque seront-ils perdus ? Alibaba aura-t-il le monopole des transactions commerciales en Europe ? La plus grande partie des profits tirés des transactions sera-t-elle externalisée hors d'Europe ?

1.6. Au service du petit commerce : les spécificités d'Alibaba

Le rival d'Alibaba en Chine ne réalise que 10 % des transactions d'e-commerce, contre 90 % à Alibaba. Effectivement, Alibaba est un bon exemple de concurrence dominée par quelques monopoles, ce que l'économiste Michel Volle nomme « concurrence monopolistique »[3].

Alibaba ressemble à Google, Amazon et eBay : ces groupes sont les initiateurs d'un effet de réseau et les générateurs d'effets d'attractivité. Identifiant le plus attractif à partir d'un recensement le plus exhaustif possible, ils donnent une place, une visibilité au plus petit acteur, à la plus petite ressource documentaire. Ce sont des catalogues où il faut pêcher en deux temps : lancer et ramener son filet, puis trier les prises.

Ce qui est original, dans le cas d'Alibaba, est son rôle d'impulsion de l'économie chinoise. Cette plateforme fait « exister » des fournisseurs sur tout le territoire chinois. Il les classe en rubriques et les oblige, *via* un système de formulaires, à décrire leurs produits et leurs moyens de productions, à s'engager à respecter des normes de qualité. Il va même jusqu'à leur consentir des microcrédits, pour impulser leur développement économique. Les fournisseurs, en plus de se faire connaître dans leur région, peuvent se comparer entre eux, découvrir les absences de tels ou tels produits dans telle aire de distribution, etc. Alibaba leur fournit son propre système de paiement en ligne, Alipay. Vendre sur Internet est accessible au plus grand nombre. La devise de Jack Ma à la dernière rencontre de Davos était : « *Notre mission est de venir en aide au petit commerce.* »

Lors d'une de ses interventions au forum de Davos, le fondateur du groupe Alibaba a annoncé que son groupe ne se cantonnait plus à la Chine et voulait s'adresser aux consommateurs et aux fournisseurs du monde entier, en créant une version internationale de sa salle de marché. Jack Ma a martelé sa volonté de mondialiser son entreprise. « *Ce à quoi je réfléchis, c'est comment transformer Alibaba en plateforme adaptée au petit commerce mondial. Aujourd'hui, Internet permet aux petits commerces de vendre des produits au-delà des océans, dans d'autres pays. Et j'espère que nous réussirons à terme à toucher deux milliards de consommateurs. Nous avons la possibilité de venir en aide à dix millions de petites entreprises hors de Chine.* » En comparant sa vision du commerce en ligne à une sorte d'Organisation mondiale du commerce (OMC), Ma ne cache pas son ambition de devenir plus gros que Walmart, le numéro un mondial de la distribution.

1.7. Les atouts que la France peut mobiliser via Internet

À l'heure actuelle, les marchands occidentaux ne peuvent pas se permettre d'exclure Alibaba de leur stratégie commerciale en Chine. Nous l'avons vu, Alibaba constitue un moyen très efficace de se faire connaître du consommateur chinois et de susciter l'acte d'achat. Que pouvons nous faire ?

Freinons l'essor d'Alibaba comme monopole ! Cantonnons Alibaba au commerce avec la Chine ! Fabriquons une alternative forte qui détourne les entreprises des facilités

3 Volle, Michel, *Iconomie*, Economica & Xerfi, p. 95 et 113.

de Tmall.com ! Pour créer une concurrence, nous devons utiliser et combiner *l'effet de réseau* et *l'effet d'attractivité*. Nous disposons de trois atouts pour provoquer l'effet d'attractivité : la culture française, l'exigence de la qualité intrinsèque du produit, la confiance dans les marques. Il ne suffit pas de traduire un texte : dès qu'un produit est complexe, l'explication de son fonctionnement et l'attention aux détails clés recourent à un arrière-plan culturel qui doit être commun aux deux interlocuteurs. Les Chinois ont le goût de la poésie, de la féérie, de l'onirisme, du mélange des genres et des styles. Mais lorsqu'un produit est avant tout acheté pour le rêve qu'il contient, la porte est ouverte aux fraudes et aux dysfonctionnements. En France, en Europe, des normes régissent la qualité du produit, les fraudes sont punies. Enfin, depuis la fin de la Seconde Guerre mondiale, la France a bâti avec soin des marques qui symbolisent des expériences client, des usages, des habitudes, des évolutions de comportements.

Nous pouvons donc cantonner l'essor d'Alibaba en attirant et regroupant les clients français et européens sur des sites internet renouvelés : en enrichissant nos marques par une relation client attentive et disponible, en expliquant clairement nos produits et leurs utilisations, en mobilisant nos références culturelles de façon créative.

1.8. Développer l'effet de réseau comme support de l'effet d'attractivité

Cependant, *l'effet d'attractivité* doit être supporté par *l'effet de réseau*. L'enjeu est de maintenir à la fois la continuité et l'homogénéité de la relation entre le client et le marchand, ainsi que la relation entre le client et ses proches. La croissance du *shopping* par différents canaux (mobiles, magasins, sites internet, réseaux sociaux, centres de contact) est assurée par une plateforme qui relie les différents canaux empruntés par le client lors de son parcours d'achat, et qui permet au détaillant de bâtir une expérience client (prix, « look and feel », contenu) cohérente, contextuelle et pertinente. La gestion des produits et des stocks est aussi une composante importante de *l'effet de réseau* dans le commerce omnicanaux. Le marchand, qui possède plusieurs sites internet dans plusieurs langues et sur différents marchés, a besoin de mettre à jour des informations produits et clients en une seule fois, et de répercuter celles-ci immédiatement sur l'ensemble des canaux, dont Tmall.com.

L'effet de réseau exige que chaque nœud du réseau ait une puissance égale à un autre nœud. Chaque nœud doit pouvoir développer des relations avec tous les autres nœuds. L'enjeu n'est pas seulement technique, il est avant tout culturel et également juridique. Concrètement, cela veut dire qu'un client peut s'adresser aussi bien au fournisseur qu'au distributeur ; que les fournisseurs coopèrent entre eux ; qu'un distributeur se coordonne avec d'autres distributeurs. Donnons-nous en une représentation intuitive : c'est comme si des morceaux de filets, des bouts de texture, se formaient. Puis il faut concevoir qu'ils se superposent les uns aux autres en *patchwork*, formant une tapisserie hétérogène. De nouveaux concepts marketing approchent cet effet de réseau : « le modèle d'affaire », « l'empreinte de la marque », « la proposition de valeur au client ». Ces coutures faisant tapisserie sonnent le glas de la pertinence, dans l'époque qui s'ouvre, du concept théorique de « marché comme interactions d'individualités » et, en pratique, appellent de nouvelles règles juridiques. Tous les intermédiaires qui régentent les marchés existants doivent réinventer leurs rôles économiques.

Prenons l'exemple de la fidélisation du client. À première vue, elle relève de l'effet d'attractivité : je préfère acheter une marque parce j'ai souvent acheté cette marque dans le passé. L'habitude crée une attirance. Cependant, il faut une seconde condition : tous mes achats ont été satisfaisants au plan relationnel. Je n'ai pas été seulement un consommateur d'un seul produit, mais également un client qui choisit à chaque fois d'acheter comme de ne pas acheter. La relation entre vendeur et client s'est solidifiée comme une relation entre un « nœud vendeur » et un « nœud client ». L'effet de réseau ne se produit que lorsque chaque « nœud » bénéficie d'une égale considération réciproque[4].

C'est là que réside un point crucial dans le cantonnement de l'expansion d'Alibaba. Des marques françaises fortes garantissent la fidélité des clients. Mais si les fournisseurs français trouvent plus de respect et de considération chez Jack Ma que chez Auchan ou Carrefour, s'ils accèdent à faible coût au marché chinois et ensuite au marché mondial, alors le monopole d'Alibaba deviendra sans partage.

1.9. Développer l'e-commerce en développant un dialogue franco-chinois

Le développement que nous suggérons aux sites marchands français ne doit pas se comprendre comme une « ligne Maginot » entre deux univers culturels. Au contraire, il faut envisager un dialogue approfondi combinant compréhension et reformulation. Du côté du « dialogue dans l'univers France », on pourrait imaginer une transposition en français des présentations des produits français figurant au catalogue de Tmall.com. On peut proposer la mise en place d'une plateforme d'e-commerce franco-chinoise qui permette aux consommateurs français de connaître les produits chinois, de les comparer et de les acheter dans des conditions de respect de la qualité et de sécurité des paiements.

Pour mener le « dialogue dans l'univers Chine », le préalable est l'apprentissage de la langue chinoise. Aujourd'hui, 48 000 personnes se forment au chinois en France. Ensuite, il faut découvrir l'art du commerce et des échanges en Chine. Rappelons que la civilisation chinoise est vieille de 4000 ans et qu'aux XVIIe et XVIIIe siècles, la Chine était « l'usine du monde » des produits de luxe. Par exemple, la céramique, la marqueterie, le travail de la pierre sont les emblèmes du raffinement. Nos méthodes de gestion, nos dichotomies dans l'organisation et le management viennent surtout des États-Unis. La culture chinoise nous invite à méditer sur la métamorphose des forces dans un processus cyclique. Sans aucun doute, nous devons apprendre à « gérer, organiser, manager chinois ».

Les clients chinois souhaitent des expériences client difficiles à concevoir pour les Français : le service au client est un impératif maximum ; le respect des attributs dus à l'âge guide la relation ; le luxe est une façon de ne pas parler d'argent ; le produit est comme un héros dont on partage l'histoire, il est testé avant d'être

4 *Cf.* le concept de « commerce de la considération », proposé par Michel Volle.

payé. Dans l'époque qui s'ouvre, pour un marchand français, la mise en place d'un produit sur Tmall.com doit être considérée comme le début d'une démarche d'initiation à la sagesse et à la vie des affaires...

2. Alibaba : éléments pour l'historique d'un développement rapide

2.1. Description du groupe par lui-même[5]

Alibaba Group a été fondé en 1999 par dix-huit personnes dirigées par Jack Ma, un ancien professeur d'anglais originaire de Hangzhou en Chine. Jack Ma aspirait à rendre l'Internet accessible, sûr et profitable pour tous ses usagers.

Alibaba Group se présente comme un écosystème d'affaires internet qui permet à chacun d'acheter ou de vendre en ligne, partout dans le monde : e-commerce, paiement *online*, places de marché *business-to-business* (B2B) et *cloud computing*.

Sa profession de foi est : « *Alibaba Group Holding essaye d'améliorer la qualité des magasins et des produits de chaque site, ainsi que l'expérience client, en mettant en place des accès mobiles et en développant un réseau logistique couvrant l'ensemble de la Chine.* »

Alibaba Group Holding gère le site B2B Alibaba.com, le site C2C de commerce en ligne Taobao et le site B2C de *shopping online* Tmall.com. Ces trois services sont des sites web leader dans leurs domaines respectifs en Chine. Alibaba gère aussi le moteur de recherche commercial Etao, ainsi qu'Alipay, un site de paiement *online* similaire à Paypal, avec déjà 650 millions de comptes.

Alibaba Group se structure en 25 centres. Avec ses filiales, il emploie plus de 24 000 personnes dans 70 villes en Chine, en Inde, au Japon, en Corée, en Grande Bretagne et aux États-Unis. Ses services sont utilisés dans plus de 240 pays.

La *holding* est détenue à 32 % par Yun Ma, qui en est aussi le PDG.

2.2. Les marques du groupe

Les principales entités du groupe Alibaba incluent :

– **Alibaba.com International** : plateforme d'e-commerce pour les PME. Lancée en 1999, Alibaba.com International (www.alibaba.com) est la plateforme d'e-commerce à destination des PME rassemblant le plus d'usagers. Elle vise à être un point d'accès

5 Toutes les informations figurant dans ce chapitre portent sur la période 1999-2013. Elles ne prennent pas en compte les évolutions intervenues en 2014 et 2015. Les informations présentées ici sont une synthèse d'articles de presse et de présentations du groupe Alibaba par lui-même. Elles sont fournies ici à titre d'indice, en vue d'analyses plus exhaustives. Nous considérons les chiffres donnés fournis ici comme ni vrais ni faux. Nous leur attribuons un statut performatif : la donnée comptable réelle est transfigurée dans une donnée qui vise un effet relationnel combinant célébration, intimidation et promesse pour l'avenir. La performance de cet effet relationnel, au vu de la vertigineuse levée de capitaux réalisée en 2015, doit faire l'objet d'une analyse spécifique.

en anglais à Internet pour les femmes et les hommes d'affaires, et à aider les entreprises de petite taille à s'étendre à l'international. Fin 2012, elle comptait environ 37 millions d'utilisateurs enregistrés dans plus de 240 pays et présentait en ligne plus de 2,8 millions de boutiques de fournisseurs.

– **Alibaba.com China** : première plateforme chinoise d'e-commerce destinée aux TPE (toutes petites entreprises), lancée en 1999. Alibaba.com China (www.alibaba.cn) vise à donner aux TPE chinoises l'accès à une offre complète de solutions d'e-commerce. Les services proposés ne s'arrêtent pas à un simple inventaire de produits, mais à des services de recherche de fournisseurs et d'achats en gros. Fin 2012, la plateforme disposait de 78 millions d'utilisateurs enregistrés et présentait plus de 8,5 millions de boutiques en ligne de fournisseurs.

– **AliExpress** : Lancée en 2010, AliExpress (www.aliexpress.com) est la première place de marché d'e-commerce faite pour les offres en petite quantité. Avec plus de 50 millions de produits, classés en 40 catégories principales, début 2013, AliExpress met en contact des vendeurs avec près de quatre millions d'acheteurs enregistrés dans plus de 200 pays.

– **Taobao Marketplace** : c'est le site le plus populaire d'e-commerce de consommateur à consommateur (C2C) en Chine (www.taobao.com). Son objectif est de développer un écosystème d'e-commerce qui apporte aux partenaires et aux consommateurs la meilleure expérience client possible. Avec plus de 800 millions de produits disponibles et plus de 500 millions d'utilisateurs enregistrés mi-2012, la place de marché Taobao est un des vingt sites web les plus visités du monde. En 2012, le volume de marchandises de Taobao et de Tmall.com aurait dépassé un trillion de Yuans[6].

– **Tmall.com** : Lancé par Taobao en avril 2008, Tmall.com (www.tmall.com) est une boutique en ligne proposant une large sélection de marques. Cette plateforme de *business to consumer* (B2C) vise à distribuer des produits de qualité et de marque, destinés aux clients chinois de plus en plus exigeants. Elle est devenue le site B2C le plus visité de Chine. En juin 2011, la plateforme a été séparée de la place de marché C2C Taobao, dont elle est devenue indépendante. Tmall.com présente actuellement les produits de plus de 70 000 marques multinationales de premier plan et des marques chinoises de plus de 50 000 fournisseurs. Elle propose les produits de manière groupée, dont un supermarché virtuel de l'électronique, une mégalibrairie en ligne, une boutique de meubles, des boutiques de chaussure de designers, un centre de vente de cosmétiques. Les marques présentes sur Tmall.com incluent des marques de premier plan comme UNIQLO, L'Oréal, Adidas, P & G, Unilever, Gap, Ray-Ban, Nike et Levi's. Les places de marché Tmall.com et Taobao détiennent le record du plus grand nombre de transactions en une journée, le 11 novembre 2012, pour un total de trois milliards de dollars américains. En

---

6 Un trillion c'est 10 puissance 18, soit un milliard de milliards. Ce chiffre annoncé dans la presse chinoise paraît énorme et difficile à croire. L'important n'est pas l'exactitude factuelle d'un chiffre fournie par un service de comptabilité, mais l'accès à un domaine qui, par sa dimension, est de l'ordre du sublime. Le philosophe Kant définit le sublime ainsi : « *Est sublime ce en comparaison de quoi tout le reste est petit* ». Le sublime ne doit pas être cherché dans les choses de la nature mais seulement dans nos idées : « *Est sublime ce qui par cela seul qu'on peut le penser, démontre une faculté de l'âme qui dépasse toute mesure des sens.* ». Citations extraites de l'ouvrage Critique du jugement, édité en 1790.

2012, le volume de marchandise traité sur ces deux places de marché aurait dépassé 100 milliards d'euros.

– **Juhuasuan** : plateforme d'achats groupés (www.juhuasuan.com) lancée par Taobao en mars 2010, devenue indépendante en octobre 2011. La mission de Juhuasuan est d'agréger le pouvoir individuel de choix de chaque client à la masse des clients et de lui offrir la plus large sélection possible de marchandises de haute qualité et de services à proximité de son domicile. En 2012, Juhuasuan a atteint un volume de marchandises traitées de deux milliards d'euros, le double de celui de 2011. Cette année-là, plus de 20 millions de clients ont acheté des services et produits sur Juhuasuan.

– **eTao** : service de recherche destiné aux achats en Chine (www.etao.com), qui apporte des informations complètes sur les produits, les marchands et les offres promotionnelles. Il a été lancé en test par Taobao en octobre 2010, puis est devenu une plateforme indépendante en juin 2011. Sa mission est de créer un point d'entrée unique qui permette d'assister les clients chinois dans leur décision d'achat en ligne, et les aide à identifier plus vite des produits bon marché ou des marchandises de haute qualité. Les services offerts par eTao incluent la recherche de produits, les rabais, les bons d'achat, les recherches groupées, la communauté Tao. Il présente actuellement plus d'un milliard de produits, plus de 5000 fournisseurs B2C et des sites d'achats groupés, ainsi que plus de 200 millions d'articles. eTao présente les résultats de recherche des principales plateformes B2C et des plateformes individuelles de marques dont Taobao, Tmall.com, Amazon China, Dangdang, Gome, Yihaodian, Nike China et Vancl.

– **Alibaba Cloud Computing** : lancée en septembre 2009, Alibaba Cloud Computing est une plateforme de *cloud computing* (services informatiques externalisés et mutualisés dans les « nuages ») et de gestion des données pour développeurs. Son but est de construire la meilleure plateforme de services de *cloud computing*. Son objectif est de contribuer à la croissance du groupe Alibaba et de son écosystème d'e-commerce en apportant une suite complète de services en ligne, incluant le *data mining* de données commerciales et le traitement à haute vitesse de données d'e-commerce.

– **Alipay** : lancé en 2004, Alipay (www.alipay.com) est la solution de paiement par tiers la plus largement utilisée en Chine, avec près de 800 millions de comptes enregistrés fin 2012. Ce service permet à des millions d'utilisateurs d'effectuer de manière simple et sécurisé des paiements ou d'en recevoir. En novembre 2012, Alipay a atteint un plus haut historique de paiement quotidien avec 106 millions de yuans en 24 heures. Alipay propose un service d'« escrow account » qui lui permet de sécuriser les transactions en ligne et en fait l'outil de paiement préféré des marchands sur Internet en Chine : les acheteurs ont la possibilité de vérifier s'ils sont satisfaits de la qualité des biens achetés avant de permettre le paiement aux vendeurs. Alipay est associé à plus de 170 institutions financières dans le monde dont évidemment des banques chinoises, ainsi que Visa et MasterCard pour faciliter les paiements en Chine et à l'étranger. En plus de la place de marché Taobao et de Tmall.com, Alipay apporte ses solutions de paiement à plus de 460 000 marchands, couvrant une large variété de secteurs : la vente au détail en ligne, les jeux en réseau, les communications numérisées, les services commerciaux et les billets d'avions. Il offre aussi une solution de paiement en ligne pour aider les marchands à vendre directement aux consommateurs en Chine et permettre la bonne réalisation des transactions dans les quatorze principales devises mondiales.

2.3. Création et points marquants du développement du groupe

- **1999**

Alibaba Group est lancé officiellement par ses dix-huit fondateurs dirigés par Jack Ma, qui travaille depuis son appartement de Hangzhou.

- **1999-2000**

Alibaba Group lève 25 millions de dollars américains auprès de Softbank, Goldman Sachs, Fidelity ainsi que d'autres institutions financières.

- **2002**

Alibaba.com devient profitable.

- **2003**

Le site d'e-commerce Taobao est créé, à nouveau depuis l'appartement de Jack Ma.

Le site de paiement en ligne Alipay est lancé.

- **2005**

Alibaba Group lance un partenariat stratégique avec Yahoo! Inc. et reprend les opérations de Yahoo! Chine.

- **2006**

Alibaba Group fait un investissement stratégique dans Koubei.com.

- **2007**

La société internet Alisoft est lancée en janvier. Alibaba.com Limited est listée sur le marché de Hong Kong en novembre. Alibaba Group lance Alimama, une société d'échange de publicité en ligne, en novembre.

- **2008**

Taobao Mall (actuellement Tmall.com), plateforme B2C, est mise en place en avril pour compléter Taobao C2C, place de marché. Koubei.com fusionne avec Yahoo! Chine pour former Yahoo! Koubei en juin. Alimama est intégré à Taobao en septembre, Alibaba Group R & D Institute est lancé le même mois.

- **2009**

Alisoft fusionne avec Alibaba Group R & D Institute en juillet. Alisoft's Business Management, division logiciel, est transféré à Alibaba.com en août. Koubei.com est transféré à Taobao pour renforcer la stratégie « Big Taobao » en août. Alibaba Cloud Computing est lancée en conjonction avec le dixième anniversaire du groupe Alibaba en septembre.

- **2010**

En mars, Alibaba Group crée une équipe de travail interentreprises comprenant des managers de Taobao, Alipay, Alibaba Cloud Computing et Yahoo! Chine, pour mettre en place le déploiement de la stratégie « Big Taobao ». En mai, le groupe Alibaba annonce qu'il va, à partir de 2010, réserver 0,3 % de son revenu annuel au financement de la protection de l'environnement. En novembre, Taobao Mall lance un service indépendant de gestion des noms de domaines web : Tmall.com.

- **2011**

En janvier, Alibaba Group annonce qu'il va, avec ses partenaires, construire un réseau d'entrepôts et effectuer des investissements majeurs en Chine. En juin, Alibaba Group réorganise Taobao en trois compagnies séparées : Taobao place de marché, Tmall.com et eTao, pour profiter pleinement des opportunités de l'e-commerce en Chine.

- **2012**

En janvier, Tmall.com change son nom chinois pour renforcer son positionnement comme source de produits de qualité et de marque. En juin, Alibaba.com est délisté du marché de Hong Kong. En juillet, Alibaba Group transforme ses filiales existantes en sept groupes d'activités : Alibaba International Business Operations, Alibaba Small Business Operations, Taobao Marketplace, Tmall.com, Juhuasuan, eTao et Alibaba Cloud Computing.

En septembre, Alibaba Group finalise le rachat de ses actions de Yahoo! et restructure sa relation avec son ancien partenaire. Les places de marché Taobao et Tmall.com atteignent un volume combiné d'un trillion de yuans pour la période de janvier à novembre 2012.

- **2013**

En janvier, Alibaba Cloud Computing fusionne avec HiChina. Alibaba Group est réorganisé en 25 centres d'activité, pour mieux s'adapter à l'environnement en croissance rapide de l'e-commerce chinois.

2.4. Une stratégie de couverture de l'ensemble des métiers de l'e-commerce

La démarche de développement du groupe est systématique, comme le montre l'historique de son développement (*cf.* ci-dessus).

Si le groupe est parti initialement d'une idée de B2B, il a couvert successivement tous les domaines de l'e-commerce : le développement s'est effectué dans les quatre directions possibles : BtoB, BtoC, CtoC, CtoB (achats groupés). Nous proposons l'illustration suivante :

Vers \ De	Consommateur	Business
Business	Juhuasuan (achats groupés) (2010) Alipay (2004) (paiement sécurisé)	Alibaba.com International (1999) Alibaba.com China (1999) Alibaba Cloud Computing (2009)
Consommateur	Taobao (2003) Tmall.com (2008)	AliExpress (2010) eTao (2011)

Ce développement est impressionnant, non seulement par son ampleur mais aussi par sa rapidité : le groupe a été créé en 1999, dans un appartement.

Un autre aspect remarquable de ce développement est la méthode de lancement d'un nouveau site. Une idée est tout d'abord testée comme sous-produit d'un site, avant d'être lancée comme site indépendant et d'imposer sa marque.

Enfin, notons que l'expansion stratégique ne s'arrête pas :

- Alibaba a dépensé 586 millions de dollars pour acquérir 18 % de Sina Corp, dans le but de capter une partie de l'audience de Weibo, afin de développer l'e-commerce social et communautaire ;
- La société a accepté de payer 294 millions de dollars contre 28 % du site de localisation AutoNavi Holdings Ltd., afin de développer des opportunités d'e-commerce géolocalisé ;
- Le développement d'applications mobiles est un axe stratégique.

2.5. L'utilisation de la Bourse comme accélérateur de croissance

Le fondateur du groupe Alibaba a su utiliser la Bourse comme accélérateur de croissance : en 2005, l'introduction en Bourse à Hong Kong d'Alibaba.com fut un succès, alors même qu'il fallait une certaine foi pour croire aux chiffres de croissance annoncés, utilisés pour valoriser la compagnie.

Lorsqu'il n'a plus besoin des marchés financiers, Jack Ma sait aussi s'en retirer, afin de pouvoir poursuivre une politique de croissance à long terme, sans la pression des résultats trimestriels. En février 2012, la société Alibaba.com a ainsi été privatisée, afin d'être détenue à 100 % par le groupe Alibaba.

Cette utilisation pragmatique pourrait être montrée en exemple aux sociétés occidentales qui ont subi la pression néfaste des actionnaires : fonds vautours, *hedge funds*, banques dissimulant leurs pertes.

2.6. Un fondateur charismatique qui a su préserver son image de personne solidaire, soucieuse d'éthique

Le fondateur d'Alibaba Holding, Jack Ma, a annoncé fin 2013 qu'il allait quitter son poste de PDG du groupe pour se consacrer à l'éducation et à des causes environnementales. Cela ne s'est pas vérifié pour l'instant.

Dans son discours public, Jack Ma place l'éthique au centre de ses préoccupations. Il a insisté à de multiples reprises sur l'importance d'Alibaba dans le développement des petites et moyennes entreprises : la priorité est de donner à chacun sa chance dans le commerce mondial. Toutes les plateformes développées se veulent ouvertes à tous les participants, et ce à des prix très réduits, lorsqu'une activité est lancée.

Chapitre 8

Les normes, une arme stratégique... quand on a une stratégie

*Jacques Printz**

Sommaire

* *Professeur émérite au CNAM, chaire de génie logiciel*

La complexité est de tous les temps mais elle l'est encore plus dans l'économie informatisée, virtuelle et très volatile, qui permet de concevoir des architectures d'organisations et de produits dont la complexité interne est l'essence dans un environnement ouvert et instable. Les normes font partie des stratégies de stabilisation sinon de ces architectures, du moins de leurs interfaces comme par exemple le protocole http sur lequel repose tout Internet et le Web. Elles permettent à la fois la communication entre systèmes et au sein des systèmes de systèmes et sont aussi – et sans doute surtout – des stratégies de définition d'un système industriel, avec toutes ses composantes techniques, d'outils, juridiques et de compétences – par les puissances dominantes.

Ces stratégies se construisent par une influence tous azimuts avec pour but de constituer des territoires, comme eu jeu de go. Ainsi en Chine toutes les grandes universités du programme 211[1]*, ont des labos Microsoft, Oracle, CISCO, IBM bien sûr,... Pour les Américains, il s'agit sous couvert de transfert de technologie [Ils ne livrent que des vieilles versions] de savoir ce qui se passe sur place et de détecter les bons étudiants à rapatrier aux US où ils seront formés selon les standards américains, quitte pour les Chinois de les rapatrier ensuite pour faire le transfert du dernier cri de la technologie. Une stratégie fidèle à Sun Tsu : contraindre l'ennemi à se soumettre sans combat par la ruse, l'information et une grande mobilité stratégique et tactique.*

Les normes sont une pièce de ce jeu d'autant plus importante qu'on en saisit pas souvent l'importance. Qui définit les normes définit l'industrie et le marché. Normaliser n'est jamais un acte neutre, ce n'est pas non plus un objectif en soi, ni une question d'esthétique. C'est un mouvement stratégique à planifier dès l'amont.

Claude Rochet

1. Du bon usage de la normalisation

Normaliser n'est jamais un acte neutre, ce n'est pas non plus un objectif en soi, ni une question d'esthétique. Nous allons, dans un premier temps, analyser ce qu'il en est à partir de trois exemples emblématiques des TIC dans les années de fondation (1970-1980), les langages de programmation et les bases de données, et dont les conséquences se font encore sentir aujourd'hui.

1.1. La normalisation du langage COBOL

On peut considérer que la normalisation du langage COBOL fut l'une des opérations de normalisation les plus réussies de l'histoire des TIC, dans les années 1970. Le langage COBOL est né de la volonté de l'US-DoD (Department of Defense, ministère de la Défense américain) de mettre de l'ordre dans la prolifération anarchique des

1 Le programme 211, lancé en 1995, vise à transformer une centaine d'universités réparties sur l'ensemble du territoire chinois, c'est-à-dire moins de 10 % des universités chinoises, en établissements d'excellence dans le domaine de la formation et de la recherche. En 2009, 112 universités « 211 » sont recensées contre 95 en 2007. Le programme 211 a permis de dresser une carte universitaire nationale des disciplines clés, de rénover de nombreux campus, de mettre en oeuvre un réseau informatique à haut débit et une bibliothèque numérique nationale.

langages de programmation qui sévissait alors[2], au détriment des besoins de stabilité demandés par les usagers et par l'administration. Tous ces langages étaient incompatibles les uns avec les autres, d'un constructeur à l'autre (nombreux à l'époque), et même d'une version à l'autre chez le même constructeur. Plusieurs des facteurs et ingrédients qui ont fait le succès du COBOL restent valables quelque quarante ans après la version normalisée du COBOL 74. En voici quelques-uns :

– Le grand donneur d'ordre qu'est le DoD a exigé que toutes les applications de gestion réalisées pour le ministère de la Défense soient écrites en COBOL, sans échappatoire aucune. Il s'appuyait sur un groupe de travail *ad hoc*, le groupe CODASYL, qui préparait les spécifications à soumettre à l'ANSI (l'AFNOR américaine) puis à l'ISO.

– Le langage a été effectivement créé par ses usagers, appuyés par le comité CODASYL (voir http://en.wikipedia.org/wiki/CODASYL), et il répondait parfaitement à leurs besoins de simplicité dans ces années-là : facile à apprendre et à maîtriser, avec des données stockées dans des fichiers séquentiels (les bandes magnétiques servaient au stockage) et dans les premiers fichiers indexés (sur tambours et sur les premiers disques magnétiques, à l'époque de faible capacité mais sur lesquels on pouvait déjà installer des fichiers d'index dont la taille est beaucoup plus petite, d'un facteur 100 voire plus, que les fichiers que l'on voulait indexer) ; les méthodes d'accès correspondantes faisaient partie de la norme COBOL, ce qui garantissait la portabilité des fichiers, d'une machine à l'autre et d'un constructeur à l'autre. La simplicité du langage, malgré quelques constructions baroques, garantissait la simplicité du compilateur, à l'époque considéré comme parmi les programmes les plus complexes à réaliser et objet d'intenses recherches par la communauté universitaire et industrielle. Sans compilateur efficace, pas de langages de haut niveau, pas de programmation de masse, pas de « *programming in the large* » et pas d'« usine à logiciel ».

– Grace Hooper, une personnalité charismatique du DoD (voir http://en.wikipedia.org/wiki/Grace_Hopper), a joué un rôle de premier plan pour faire avaler la pilule aux opposants des langages dits de « haut niveau », qui voulaient conserver l'assembleur, le langage machine spécifique du matériel IBM. Par exemple, IBM était violement opposé à la normalisation langage qui interdisait toute extension spécifique à un constructeur, expliquant à ses clients tout le mal et le gaspillage de ressources que cela représentait ; quand on a mordu à l'hameçon de l'assembleur, on est pieds et poings liés au constructeur de la machine, toute migration étant extrêmement risquée et, de toute façon, coûteuse. Sans Grace Hooper, sans son énergie et même parfois son courage, il est probable que le sort de COBOL eût été différent.

– De nombreux constructeurs qui essayaient de se faire une place au soleil, IBM étant le constructeur dominant, pour se démarquer d'IBM et satisfaire les exigences du DoD, proposaient à l'inverse une parfaite fidélité au standard. C'était le cas de General Electric et de Honeywell, par ailleurs grands clients du DoD, très actifs dans le groupe CODASYL et challengers d'IBM, et par voie de conséquence le choix de Bull, racheté par General Electric dans les années 1960 et revendu à Honeywell en 1970. La CII (Compagnie internationale pour l'informatique) de l'époque, soutenue par les pouvoirs publics, et le plan Calcul ayant plutôt opté pour le langage PL1 d'IBM, qui se voulait une synthèse de FORTRAN + COBOL + programmation

2 Voir Richard L. Wexelblat, *History of programming languages*, 1981, ACM Series.

structurée façon ALGOL, qui se solda par un gigantesque fiasco industriel, avec un compilateur à peine réalisable à cause de sa complexité, sur lequel beaucoup se sont cassés les dents.

Les entreprises qui choisissaient COBOL achetaient la garantie d'une portabilité réelle d'une machine à l'autre, y compris pour les données. Et c'était vrai ! Les compilateurs étaient de bonne qualité, ce qui donnait confiance dans le langage. De fait, même aujourd'hui, les lignes de codes écrites en COBOL se comptent encore en milliards, et c'est toujours le langage dominant, comme on a pu le voir lors du passage à l'an 2000, le Y2K des Anglo-saxons, où toutes les sociétés de services SSII ont réactivé leurs vieux programmeurs, dont certains étaient déjà à la retraite.

1.2. Le cas Ada

C'est presque l'antithèse du cas COBOL, du point de vue de la normalisation et de l'usage ; un « anti-pattern » en quelque sorte, une somme d'erreurs à ne pas commettre pour réussir une opération de normalisation.

Le seul point commun avec COBOL est que le langage Ada (voir en.wikipedia.org/wiki/Ada_(programming_language)) répondait également à une demande du DoD, en 1977, avec plusieurs offres en compétition, mais cette fois pour les applications dites « temps réel » développées pour les systèmes d'armes, les systèmes spatiaux, les systèmes de contrôle/commande, etc. du DoD, de la NASA, du DoE (ministère de l'Energie)... Ces applications sont beaucoup plus complexes que les applications de gestion du secteur tertiaire et presque toujours spécifiques. C'est, contre toute attente, la société franco-américaine CII-Honeywell-Bull qui remporta l'appel d'offres avec la proposition dite *Green*, rédigée par l'équipe de Jean Ichbiah du centre de recherche de la CII qui, par la vertu de la fusion entre CII et Honeywell-Bull (pour cause de faillite de la CII et de l'immense fiasco du plan Calcul[3]), devenait *de facto* américaine, et de ce fait pouvait se porter candidate, ce que ne pouvait évidemment pas faire seule la défunte CII.

– Ada est un cas typique de langage créé par un comité d'experts qui finissent par oublier ceux qu'ils sont censés aider, les programmeurs systèmes des systèmes réels, c'est-à-dire des programmeurs concepteurs, dont l'essentiel du travail est concentré sur la validation, la vérification, l'intégration et les tests (VVIT) du système, soit au minimum 50 % de l'effort total et bien souvent, dans le cas de systèmes à forte criticité, quand des vies humaines sont enjeu, 70-75 % de l'effort[4]. Dans un comité d'experts, il faut s'efforcer de ne mécontenter personne, car tout mécontent deviendra un opposant farouche, pour des raisons qui n'ont rien à voir avec la raison et l'évaluation objective de ce qui est proposé. Le consensus mou devient presque naturellement la règle par défaut, et le bon sens n'est plus « la chose du monde la mieux partagée ». C'est ainsi qu'Ada est devenu un « beau langage », regroupant tous les traits de ce qui était considéré à l'époque comme le *nec plus*

---

3 Voir le livre de Jean-Pierre Brulé, *L'Informatique malade de l'État*, aux Belles Lettres ; PDG de Bull à cette époque charnière, c'est le témoignage d'un acteur de premier plan sur les errements de l'« État stratège » dans un domaine on ne peut plus stratégique.

4 Voir mes ouvrages récents : *Architecture logicielle* chez Dunod et *Estimation des projets de l'entreprise numérique* chez Hermès-Lavoisier.

ultra de la programmation. De fait, pour un expert, la construction était grandiose, mais oublieuse des difficultés d'apprentissage et des difficultés de réalisation d'un compilateur efficace.

– La personnalité de l'inventeur, Jean Ichbiah[5], surnommé par certains médias américains « *The raving genius* », était tout à l'opposé de celle de Grace Hooper. Sa Légion d'honneur, décernée par le président Giscard d'Estaing en personne lui avait un peu tourné la tête, ainsi que son élection *ipso facto* à l'Académie des sciences. Il se croyait tout permis, et ne se privait pas d'en abuser pour « descendre » ceux qui n'admiraient pas la « beauté » du langage Ada. Jean n'avait pas intégré ce phénomène étrange que les programmeurs, mêmes les mieux intentionnés, n'aiment pas les « beaux » langages car bien souvent, dans les projets réels, il faut pouvoir « bricoler ». Mais au-delà de l'aspect psychologique de la chose, qu'il ne faut jamais négliger dans un processus de normalisation, d'autres obstacles allaient se présenter, dont certains parfaitement rédhibitoires.

– Les années 1980 sont un tournant dans l'histoire des TIC. Les *mainframes* sont dominants, mais leur hégémonie va être radicalement remise en cause par l'arrivée des stations de travail, du type de celles de DEC (*cf.* la gamme PDP) ou de SUN, d'APPOLO et de bien d'autres constructeurs... et surtout par l'arrivée des ordinateurs personnels et des écrans *bitmaps*. Tout le monde a encore en mémoire le côté fulgurant de l'opération. La complexité d'Ada et sa « beauté » allaient se révéler des obstacles majeurs, pouvant casser la dynamique enclenchée dans l'enthousiasme un peu naïf du succès, d'autant plus que Jean était convaincu que les programmeurs allaient aimer « son » langage pour sa « beauté » ; très grave erreur ! Le compilateur Ada était d'une complexité redoutable qui rendait son développement incompatible avec le rythme frénétique de l'arrivée des nouveaux modèles de PC. La stratégie d'une souche de compilateur portable d'un environnement système à un autre était impraticable, même si les équipes compilateurs de Bull disposaient d'une telle souche en interne. Le développement d'une version PC par la société ALSYS, que Jean Ichbiah avait fondée après son départ de CII-Honeywell-Bull, accumulait les retards et les emprunts bancaires. Ce choix s'avérait être une erreur stratégique de première grandeur, et en plus pour des applications hors du marché de la défense et des systèmes, pour lesquels Ada avait été conçu. Par ailleurs, l'équipe d'ALSYS, installée à La Celle-Saint-Cloud, se trouvait en rivalité avec une autre équipe Ada restée au centre de recherche de CII-Honeywell-Bull à Louveciennes, pour cause de financements européens. Toute négociation était devenue impossible, et en outre les relations personnelles entre Jean Ichbiah et le PDG de CII-Honeywell-Bull, Jacques Stern, étaient devenues détestables. Autant dire que les usagers putatifs avaient complètement disparu des écrans radars.

– Beaucoup plus grave était le constat que la première version du langage (la norme Ada 83) ne satisfaisait finalement pas aux exigences du temps réel, ce pour quoi ce langage avait été initialement conçu. Il avait fallu en catastrophe, sous l'égide de la DGA (Direction générale de l'armement), mettre en place un groupe

---

5 Je l'ai bien connu car, à l'époque de la fusion CII-Honeywell-Bull, j'avais la responsabilité du développement des langages et compilateurs chez Bull. Nous sommes restés en contact jusqu'à son départ définitif pour les États-Unis, à Boston au début des années 90.

de travail *ad hoc*, piloté par la société CR2A, filiale défense du groupe CGI [6], bien implantée dans les milieux défense et spatial et réunissant pour le coup de vrais usagers, dont le nom de code était ExTRA pour *Extensions Temps Réel pour Ada*, de façon à rectifier la norme. Mais le mal était déjà fait.

- En raison de sa définition, le langage cohabitait très mal avec les autres langages en usage, dont C, un langage « sale », comme on dit « un sale gosse ». Toutes les télécommunications de l'époque autour de TCP/IP, qui allait bientôt balayer le modèle OSI/ISO à sept couches de l'IUT/CCITT et d'UNIX, étaient programmées en C, ainsi que les IHM naissantes autour des bibliothèque X-windows, une retombée du projet ATHENA du MIT promise à un grand avenir. Choisir Ada était donc une décision dite de « *Go, no go* », jugée ultrarisquée d'un point de vue industriel. La seule implémentation sur laquelle la mixité était possible dans les années 1980s se trouvait être la version Ada de DEC, sous VMS. Qui voulait programmer en Ada sans mauvaise surprise n'avait pas d'autre choix que de choisir des machines DEC, choix complètement antinomique avec l'idée même de normalisation, censée vous libérer de l'emprise des constructeurs de matériel. Un joli coup de DEC, mais une catastrophe pour l'image du langage qui se trouvait ainsi « vissé » à une machine particulière.

- Le DoD avait créé une structure particulière, l'AJPO (Ada Joint Program Office), dont le rôle était d'organiser la promotion du langage, à grands coups (et coûts) de conférences et de séminaires pour « executives », surtout en Europe et auprès des pays de l'OTAN. Au contraire du COBOL, qui était quasiment autosuffisant, Ada nécessitait un environnement de programmation, avec des outillages de modélisation, de gestion de configuration et de tests. C'est l'époque où l'on commençait à parler d'industrie du logiciel, avec ses « machines outils » bien particulières, les ateliers de génie logiciel, les IPSE (Integrated Programming Support Environment). D'où des projets grandioses comme ENTREPRISE, promu et orchestré par la DGA en France, et CAIS-A aux États-Unis, le tout étant censé converger vers des interfaces communes élaborées dans un projet « chapeau » appelé PCIS (Portable Common Interface Set), permettant aux industriels clients d'intégrer leurs outils spécifiques, du moins en théorie et à condition de respecter les interfaces. Toute cette effervescence donnait à croire qu'il se passait des choses autour d'Ada, côté américain. Pour ne pas être en reste, la France et la Communauté européenne avaient décidé de soutenir assez massivement l'opération. ALSYS était bien soutenue et obtenait tous les prêts nécessaires à son développement, dont une bonne partie allait être dilapidée dans la réalisation d'une version PC du langage. Des industriels français comme Thomson, SEMA... investissaient dans le langage, à vrai dire assez mollement, sans se douter qu'ils étaient les seuls, comme la suite allait le révéler.

Entre temps, la créativité des inventeurs de langages de programmation n'avait pas cessé pour autant. Les PC, dont la cible avérée était le grand public, avaient un besoin de langages de programmation « simples » pour cette catégorie d'usagers bien particulière, plutôt de profil bricoleurs, c'est-à-dire tout sauf des informaticiens professionnels comme ceux des systèmes temps réel, conjuguant à la fois le ludique et

---

6 Comme beaucoup d'autres SSII détentrices de technologies, la CGI finira sa vie rachetée par IBM Global Services, ce qui signera l'arrêt de mort de son offre PACBASE, supportant la méthode MERISE, bien implantée dans l'administration et les services tertiaires, un grand succès des SSII de cette époque révolue.

le bricolage, mais qui allait bientôt générer une industrie en soi. Dans la mouvance d'UNIX, qui commençait son essor, le langage préféré de ces nouveaux programmeurs était le C, bientôt suivi par C++, puis par Java et d'autres, qui allaient naître dans l'environnement d'Internet et du web. Autant dire que l'argument d'autorité n'avait aucune chance d'être respecté, ni même entendu. D'autant plus que l'intelligence artificielle, à l'époque pur phénomène d'emballement médiatique, faisait tourner les têtes au point que certains voyaient le langage PROLOG remplacer COBOL ; en matière d'aveuglement ou de sidération, difficile de faire mieux.

Dans les années 1990, la situation stratégique pouvait se résumer ainsi : d'un côté un « beau langage », terriblement difficile à compiler, incompatible avec les besoins de programmation « sauvage » des nouveaux programmeurs, enseigné nulle part, avec un marché évanescent ; de l'autre un langage certes « sale » mais répondant aux besoins, enseigné dans la mouvance d'UNIX qui commençait, gratuité oblige, à envahir les universités et les écoles d'ingénieurs, avec en prime un marché qui paraissait prometteur, sans limites par rapport au développement d'architectures distribuées organisées en clients/serveurs, où les postes clients allaient rapidement se compter en millions d'unité.

Comme on dit au casino, « les jeux étaient faits », mais le coup de grâce allait être donné à l'occasion d'une des réunions organisées dans la mouvance du projet PCIS[7], chez IBM FSD, à Gaithersburg, dans la banlieue de Washington. La Federal Systems Division d'IBM était l'un des plus gros fournisseurs du DoD, forte de 14 000 personnes à l'époque. Le but de cette réunion était de faire le point sur l'ingénierie des projets systèmes de FSD pour le DoD, des projets grandioses comme l'avion AWACS, mais dont aucun n'était développé en Ada. Avec l'ingénieur de l'armement responsable de l'ingénierie logiciel à la DGA qui participait à la réunion, nous avons immédiatement compris qu'on s'était fait abuser depuis déjà quelques années et que toute l'effervescence entretenue autour d'Ada était un leurre. IBM avait des liens profonds et connus avec le DoD ; le non-emploi du langage par FSD avait valeur de décision.

Il est toujours facile de refaire l'histoire rétrospectivement ; il aurait fallu se méfier dès le départ. Les stratèges américains ne sont pas connus pour leur complaisance ou leur mansuétude vis-à-vis des européens. Avoir laissé filer le langage en Europe pouvait s'interpréter de différentes façons :

a) Le langage Ada n'avait aucun intérêt en soi et n'allait pas révolutionner la productivité des programmeurs, contrairement à ce qui était dit. C'était d'ailleurs ma conviction. Les projets NASA, par exemple, étaient programmés dans un langage dérivé du PL1, le langage HAL (inventé par IBM, dont le sigle s'en déduit facilement en prenant la lettre qui précède dans l'ordre alphabétique, soit H→I, A→B et L→M ; c'est aussi le nom de l'ordinateur fou du film *2001, Odyssée de l'espace* de Stanley Kubrick, d'après le livre d'A.C. Clarke). Vouloir démontrer qu'avec Ada, les programmeurs de la NASA allaient être plus productifs relevait plus de la croyance et de la pensée magique que de l'ingénierie réelle.

b) L'épiphénomène Honeywell-Bull, société américaine qui avait été l'occasion de se porter candidat à l'appel d'offre du DoD, allait être nationalisée et redevenir français sous l'appellation CII-Honeywell-Bull, donc, selon une méthode bien éprouvée

7 J'en assurait la codirection, avec le directeur de l'AJPO.

côté américain : pas de cadeau ! Le « règlement de comptes à OK Corral » n'allait pas tarder. Que la société ALSYS soit sortie de CII-Honeywell-Bull n'y changeait rien.

c) Ce n'était pas le langage qui était important, mais son environnement de développement et de programmation (les bibliothèques systèmes). Dans un projet système, la partie purement programmatique dépasse rarement les 30 % du coût total. Pour donner juste un exemple, la gestion de configuration qui sert à gérer la nomenclature de toutes les « pièces » logicielles, y compris les tests, (dans un grand projet, il peut y en avoir des milliers) est un outil indispensable. L'un des fournisseurs américains de compilateurs Ada était la société RATIONAL qui, a l'occasion d'Ada, avait développé un outillage de gestion de configuration qui allait devenir l'un des meilleurs outils de sa catégorie : CLEARCASE. Par un heureux « hasard », cette société allait se retrouver, quelques années plus tard, dans le giron d'IBM Global Services, au cœur de son atelier système, avec le langage de modélisation UML. Moralité : normaliser le langage sans normaliser son environnement ne résolvait rien ; or, normaliser l'environnement revient à normaliser les processus de développement système, et pas seulement les processus logiciel : autant dire impossible, infaisable, car cela aurait voulu dire normaliser des processus de pensée.

Comme quoi le processus de normalisation n'est jamais un « long fleuve tranquille ». Le manque de lucidité est généralement fatal. Seul compte le rapport de force. Et comme disait Staline : « Combien de divisions ! »

1.3. Cas des bases de données

Avec les langages de programmation on est dans le « soft », sans jeu de mots, alors qu'avec les données on est vraiment dans le « dur », avec cette fois des enjeux industriels colossaux. Qui dit données dit stockage de ces données, c'est-à-dire du matériel : disques, contrôleurs d'entrées/sorties, télécommunications internes avec les canaux d'E/S et les bus *hardware* en grande quantité. Pour cadrer le besoin, on trouvait, dans les années 1990, des centres de production informatique, par exemple dans les banques, avec des configurations de 1000 disques pour 4 à 8 unités centrales de traitement. Le coût de la configuration disques installés, avec les contrôleurs de ces unités de disques, était bien supérieur à celui des unités centrales. De fait, IBM gagnait beaucoup plus d'argent avec ses disques qu'avec ses processeurs centraux, d'autant plus qu'il les vendait également en OEM pour ses « concurrents », comme les sept nains du BUNCH (*cf.* http://en.wikipedia.org/wiki/BUNCH).

Les disques, c'est comme du rayonnage, c'est du linéaire qu'il est impératif d'organiser soigneusement : c'est le rôle des systèmes de gestion des bases de données (SGBD, en anglais DBMS). Pour donner une idée, un grand fichier de 30 millions de références, comme celui des clients d'EDF, des foyers fiscaux, de la sécurité sociale... avec 1000 octets par référence (c'est assez peu ; une page de texte, c'est environ 3000 à 4000 caractères) nécessite une capacité de stockage brut de 30 gigaoctets, et même plutôt 40 si l'on compte les espaces perdus (les disques sont organisés en blocs appelé secteurs, qui sont des unités de lecture physique de taille fixe ; il y a nécessairement de l'espace perdu. *Cf.* http://fr.wikipedia.org /wiki/Disque_dur et http://en.wikipedia.org/wiki/Hard_disk_drive). Avec des disques de 100 mégaoctets de capacité, on arrivait très vite aux configurations indiquées. Avec un contrôleur pour 10 ou 20 disques, il y avait des dizaines de contrôleurs d'E/S, lesquels sont de véritables ordinateurs, disposant de caches de données (on disait « contrôleurs intelligents », car en fait ce sont des machines dans la machine) pour optimiser les temps d'accès aux informations stockées et gérer la qualité des données transmises.

Dans les années 1970, quiconque voulait bien se donner la peine de réfléchir savait que les données allaient jouer un rôle de premier plan dans la révolution informatique qui s'annonçait[8]. Les données, c'est de l'information, mais c'est aussi des relations entre les informations, là où est véritablement l'intelligence, une chose que l'on ne sait pas gérer dans de « bêtes » fichiers séquentiels ou indexés. Quelque chose de nouveau à inventer était absolument indispensable : les SGBD. Dans les années 1970, il y avait plusieurs SGBD en compétition. Compte tenu des enjeux industriels et de la dépendance vis-à-vis des systèmes de stockage, une normalisation devenait indispensable. La bonne question était : laquelle ? Les SGBD était de fait au cœur de cet enjeu majeur.

IBM disposait d'un système commercial appelé IMS/DL1, mais ne le proposait pas aux instances de normalisation. General Electric puis Honeywell proposaient ce que l'on peut qualifier de premier vrai SGBD, le système IDS (Integrated Data Store), dont l'inventeur était Charles Bachman (http://en.wikipedia.org/wiki/ Charles_Bachman). Ted Codd, dans le laboratoire IBM de San José/Santa Teresa avait, de son côté, inventé ce qui allait devenir SQL (Structured Query Language ; voir http://en.wikipedia.org/wiki/Edgar_F._Codd), le cœur du modèle dit « relationnel », fondé sur la théorie des ensembles et l'algèbre des relations, un corpus bien connu dans les milieux universitaires, à comparer au modèle dit « réseau », le NDL (Network Data Language), porté par le système IDS. Un programmeur de données en « relationnel » écrit des expressions pour sélectionner les données qui l'intéressent ; il est dans la continuité du programmeur, qui écrit des expressions algébriques pour calculer. Le programmeur de données en « réseau », quant à lui, « navigue » dans un maillage de données dont il faut connaître la structure, une navigation que l'on retrouvera deux décennies plus tard dans les formats dit « hypertextes » popularisés par Internet et le web. Bachman et Codd furent tous deux récompensés par un Turing Award pour leurs contributions éminentes, à quelques années d'intervalle.

Toute la structure universitaire s'était assez rapidement entichée du modèle relationnel, facile à comprendre, bien fondé sur ce que les étudiants en informatique connaissaient déjà en logique, plus abstrait donc plus facile à enseigner, un atout formidable qu'IBM allait exploiter avec maestria ; Stanford, Berkeley, UCLA... tenaient la corde, et toute la Silicon Valley. À côté, le modèle réseau faisait un peu « cuisine » ou « épicier ». IBM avait soigneusement évité de se mettre en avant, tirant les leçons de l'échec du langage PL1, perçu comme une machine de guerre IBM. Dans toutes les réunions auxquelles il m'a été donné de participer durant ces années-là, à l'AFNOR et à l'ISO, je n'ai jamais entendu un représentant d'IBM critiquer le projet de norme NDL, d'autres faisaient « le sale boulot » à sa place, en particulier dans le comité AFNOR où trois projets de normes étaient en compétition : SQL *via* IBM, comme on vient de l'expliquer, NDL *via* Honeywell-Bull

---

8 C'est l'époque de livres et de rapports célèbres comme Pierre Lhermitte, *Le pari informatique*, et Simon Nora, Alain Minc, *L'informatisation de la société*, qui font d'ailleurs la part un peu trop belle à la télématique, mais une vraie réflexion en profondeur est dans le temps long.

et SOCRATE via la CII, non encore fusionnée avec Honeywell-Bull, une variante originale du modèle NDL, complètement franco-française, inventée par Jean-Raymond Abrial (http://fr.wikipedia.org/wiki/Jean-Raymond_Abrial), donc un coup pour rien dont l'effet était de diluer et d'affaiblir la position française où l'AFNOR se contentait de compter les coups, sans stratégie arrêtée au niveau du ministère de tutelle. La stratégie d'IBM, quant à elle, était on ne peut plus simple : gagner du temps, c'est-à-dire éviter qu'une norme COBOL-NDL soit publiée dans la foulée de la norme COBOL 74, avant son équivalent SQL. C'est ainsi que le représentant IBM à l'AFNOR, François Genuys, un normalien brillant et subtil, également membre du comité ISO, s'exprimait en français dans les réunions ISO car l'ISO (International Organization for Standardization) était un organisme de l'ONU où le français était langue officielle. Il fallait donc des interprètes, ce qui rallongeait les discussions d'autant. Stratégie habile, car il parlait évidemment très bien anglais ! Et il n'avait pas son pareil pour relancer les discussions sur le modèle SOCRATE, d'où nouvelle perte de temps. Stratégie également gagnante, car au final les deux normes furent publiées en même temps, d'abord à l'ANSI en 1986, puis à l'ISO en 1987 (http://en.wikipedia.org/wiki/SQL) ; mais stratégie mortelle pour la norme NDL et les sociétés qui avaient misé sur elle, comme CULLINET, laquelle disposait d'une excellente implémentation de la norme NDL, le système IDMS, bien supérieur à l'offre IMS/DL1 du constructeur, mais exclusivement sur du matériel IBM. L'annonce du support de la norme SQL par IBM fut fatale à CULLINET, ce qui laissait le champ libre à des sociétés comme ORACLE ou INGRES, qui avaient tout misé sur SQL. De fait, la première version compatible avec la norme SQL fut celle d'ORACLE. Ce qui, paradoxalement, renforçait le côté non IBM de la norme, IBM ayant par ailleurs une excellente implémentation de SQL sur ses matériels, le produit DB2 ; mais cela, personne ne pouvait le reprocher à IBM.

Dans ce contexte de normalisation des données, l'histoire d'ORACLE, à ses débuts, est tout à fait intéressante. Lors de ma première visite à ORACLE, à Menlo Park en 1981, la société comptait une centaine de personnes, dont 80 pour le développement. Son président et fondateur, Larry Ellison, avait parfaitement compris que les données étaient le nerf de la guerre des TIC ; quoi qu'il se passe, il faut stocker et organiser l'information. Il avait également parfaitement compris qu'il fallait une implémentation de la norme multi plateformes, pour sécuriser les clients dont les données étaient la ressource principale. D'où une stratégie de portabilité sur toute plateforme présentant un intérêt commercial. C'était un défi technique que d'aucuns pensaient impossible à relever, mais Larry Ellison y croyait, et il ne dévia jamais de sa route pendant les dix à quinze premières années d'existence de sa société. Le langage SQL pouvait être compilé et optimisé, compte tenu des progrès dans les techniques de compilation et de la R&D académique et industrielle intense que tout cela suscitait, largement soutenue par la DARPA. Encore fallait-il intégrer tout cela intelligemment. De fait, l'architecture du SGBD Oracle avait été conçue portable par construction. Tout le noyau du système était écrit en C. Pour disposer d'une version Oracle « bootstrappée » sur une plateforme quelconque, il suffisait de disposer d'un compilateur C aux normes et de réécrire les interfaces assurant la portabilité, interfaces appelées *OS Dependent Routines*, soit 20 à 30 000 lignes de code, si possible en C, mais pas nécessairement. En gros, un an de travail pour une petite équipe de deux à trois ingénieurs maîtrisant parfaitement les interfaces de l'OS sur lequel le produit Oracle était porté. Et cela marchait ! ORACLE emploie aujourd'hui plus de 100 000 personnes.

Toute l'opération SQL, en y incluant ORACLE, est un parfait exemple de stratégie de normalisation réussie, qui maintient le *leadership* américain dans un domaine on ne peut plus stratégique. Dans le monde digitalisé où nous baignons tous, celui de la société « numérique », *Data is the new code*, comme disent certains ; cela, Larry Ellison l'avait compris un peu avant les autres, et il a su conserver son avance sans jamais dévier de sa route, sans se laisser impressionner par les contre-feux, comme les bases de données « objets » qui allaient disparaître du paysage, faute de pouvoir s'adapter au modèle de programmation transactionnel, le « cheval de trait » (*workhorse*) des systèmes d'information et de l'informatique distribuée. Comme ont dit chez les Compagnons du Devoir : « Du beau travail ».

2. Les acteurs du processus de normalisation – Une analyse systémique

Pour espérer réussir une opération de normalisation, il est indispensable d'avoir une vision globale du théâtre des opérations et des acteurs qui y interviennent et interagissent. Comme à la guerre, il faut distinguer le temps « court » des opérations et le temps « long » de la guerre. Il faut savoir parfois perdre une bataille pour gagner en final, et si possible en évitant de massacrer tout le monde, car ce que nous enseigne l'histoire, y compris celle de l'industrialisation, c'est que toute guerre est suivie d'une autre guerre, sur d'autres fronts, avec d'autres acteurs. La photo argentique a disparu au profit de l'image numérique, et ce en dix à quinze ans ! Avec le *Big Data*, les cartes vont être une nouvelle fois rebattues, mais les opérations fondamentales de la gestion de données, le CRUD (Create, Retrieve, Update, Delete), que l'on peut traduire par « créer, sélectionner, modifier, effacer » des informations demeureront quoiqu'il arrive. Il faudra stocker et organiser. La vision de l'information à l'aide des trois modèles identifiés par le DBTG[9] du CODASYL dans son rapport de 1973 : (1) celui des usagers *via* l'IHM, (2) celui des concepteurs *via* les langages comme les DDL et (3) celui de la machine pour les exploitants des systèmes appelés modèles internes perdurera, car c'est un invariant fondamental qui organise la sémantique des systèmes d'information, la réponse à la question « à quoi ça sert ? », pour paraphraser Wittgenstein.

Pour comprendre la dynamique du théâtre d'opération, il est utile de partir d'une approche élaborée par Gilbert Simondon[10] et Bertrand Gilles[11], que l'on peut résumer par le schéma suivant, figure 3.1, avec la notion de système/objet technique.

---

9 *Data Base Task Group*, dont C. Bachman faisait partie ; Bull savait donc exactement ce qui s'y passait !

10 Voir sa thèse *Du mode d'existence des objets techniques*, chez Aubier.

11 Voir son *Histoire des techniques*, encyclopédie de la Pléiade, où est détaillé la notion de système technique.

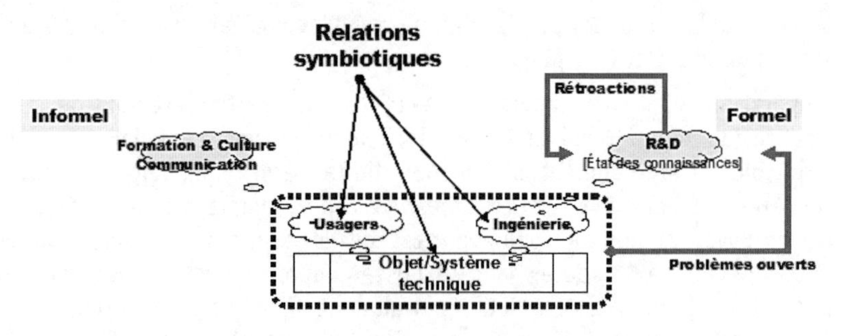

Figure 3.1

Tout objet/système technique est encadré par deux populations aux intérêts parfois contradictoires, la communauté des usagers et la communauté de l'ingénierie, qui développe et exploite les systèmes, comme s'opposent et se complètent l'informel et le formel. Avec le système/objet dans sa composante *hard*, ces deux populations forment une communauté symbiotique avec celle des équipements intégrés dans le système, l'une ne pouvant pas évoluer sans les deux autres. La communauté ingénierie est en interaction avec la communauté de R&D, qu'elle soit universitaire ou industrielle, celle qui « invente » pour faire simple ; et tout bouge, tout évolue... Le schéma montre le lien organique qui existe entre la composante industrielle, portée par les entreprises, et la composante recherche/innovation scientifique ou technologique, et ce depuis le début de la révolution industrielle. Ce n'est pas un hasard si aux États-Unis la recherche est pilotée entre autre par la DARPA pour maintenir le leadership américain, lequel est fondé sur la science au service de l'industrie. La communauté des usagers choisit ce qui lui est offert par les industriels en compétition, qui fabriquent les objets/systèmes que nous utilisons quotidiennement. Le choix dépend de l'utilité que l'usager, qui peut être une entreprise, attribue à ce qui lui est proposé, selon des modalités étudiées en détail dans les travaux de D. Kahneman et A. Tversky, entre autres. La psychologie des préférences réserve parfois d'étranges surprises...

Aux États-Unis, la normalisation est une affaire sérieuse. La structure universitaire y est largement mise à contribution, car les universitaires américains ont des liens suivis avec l'industrie, et bien sûr les industriels qui développent les systèmes participent activement en envoyant leurs meilleurs experts dans les comités et groupe ad hoc de normalisation. La normalisation est soutenue par de grands laboratoires comme le NIST, *National Institute of Standards and Technology*, qui a le rang d'agence fédérale et dont nous n'avons pas d'équivalent en France, ni d'ailleurs en Europe ; on y trouve même des Prix Nobel ! La disparition de fait des laboratoires nationaux comme le CNET, la DER d'EDF avant la dérégulation, celui de la défunte CGE à Marcoussis ou la DRET de la DGA a laissé un vide qui n'a jamais été comblé, laissant la place à des consultants et à des « experts » bien souvent autoproclamés. Dans ce milieu, il faut être crédible, c'est une condition nécessaire mais non suffisante.

La dynamique industrielle, avec ses chaînes de valeurs, a été quant à elle parfaitement analysée par M. Porter (voir http://en.wikipedia.org/wiki/Michael_Porter) et ses cinq forces. Tout cela est bien connu et reste tout à fait d'actualité. L'offre en produits/services, pour satisfaire les besoins des usagers, est alimentée par le célèbre schéma de M. Porter, souvent imité, parfois caricaturé, mais encore inégalé ; mieux vaut aller directement à la référence originale, figure 3.2, dont la logique est explicite.

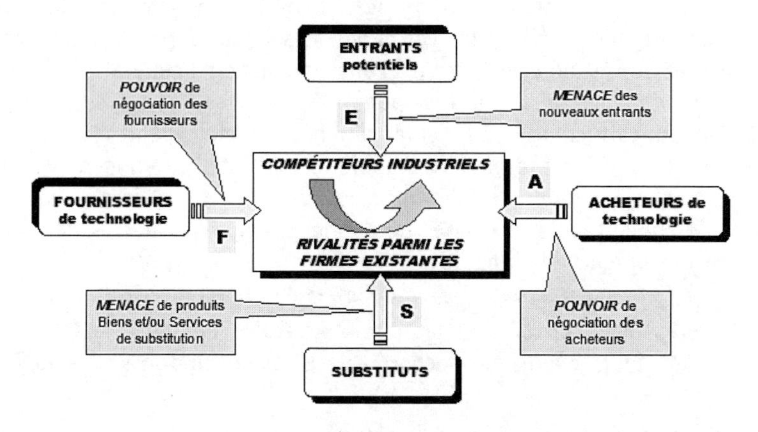

Figure 3.2

Le plus intéressant dans ce schéma est son côté darwinien. La rivalité entre compétiteurs fait que toute faiblesse, toute inaptitude à s'adapter va être immédiatement exploitée par la concurrence. Quiconque s'endort est balayé, tôt ou tard, selon le « *Red queen principle* ». Les exemples sont innombrables.

La conjonction des deux figures permet de comprendre comment le processus de normalisation va pouvoir influer, dans un sens ou dans l'autre. Dans le cas COBOL, le besoin est clairement venu des usagers demandeurs de stabilité. La structure industrielle a suivi, parce qu'il y avait une grande rivalité entre constructeurs dans ce marché naissant, et que les instituts de normalisation, appuyés par une R&D sérieuse émanant du CODASYL ont fait du bon travail de synthèse, sans céder à la surenchère. L'appui de l'US-DoD et de ses instituts affiliés, comme les FFRDC[12], a été primordial, dans un sens ou dans l'autre. Dans le cas Ada, la spécification du langage à été faite par un groupe d'experts déconnectés des réalités industrielles ; l'*Institute of Defense Analyses*, une FFRDC à deux pas du Pentagone, qui suivait le projet PCIS, a laissé faire. Le besoin n'était pas avéré côté usagers, en particulier en matière d'outillages. Des langages de substitution sont immédiatement apparus, « boostés » par la vague des stations de travail et des ordinateurs personnels. Le marché n'était donc pas celui des systèmes temps réel, qui est un marché de niche « fermé », mais celui des applications à développer sur stations de travail et PC. Ada ne répondait absolument pas aux besoins de ce nouveau marché et a été évincé au profit de langages jugés plus simples comme C, ou mieux adaptés comme Java. Conséquence immédiate, les fabricants de compilateurs, qui sont des programmes complexes, ont été immédiatement attirés par ce nouveau marché prometteur et ont délaissé complètement le marché du temps réel.

12 Voir http://en.wikipedia.org/wiki/Federally_funded_research_and_development_centers.

À l'inverse, ORACLE avait parfaitement compris que les usagers des bases de données, potentiellement toutes les entreprises, grandes et petites, avaient un besoin mal exprimé de portabilité ; son anticipation a été payante, et ORACLE ne s'est jamais laissé distraire par les faux problèmes et les effets de mode comme les bases de données « objets », qui ont agité le milieu universitaire, dans la mouvance de l'intelligence artificielle. Les problèmes de performance, bien réels au départ, allaient se résoudre un par un, d'une part avec l'amélioration du matériel (disques à grande capacité, à haute disponibilité avec les RAID, grandes mémoires RAM où l'on pouvait charger un fichier d'index complet, débit des réseaux...), et d'autre part avec les progrès en ingénierie et l'intégration des systèmes en matière de caches de données, d'interfaces avec les moniteurs transactionnels indispensables pour l'accès aux bases de données depuis les postes de travail, de compilation dynamique des requêtes.

– Pour réussir une opération de normalisation, il faut travailler sur toute la chaîne d'acteurs, mais surtout comprendre les besoins des usagers **ET** la technologie, ainsi que leurs évolutions respectives. Une liaison forte avec la R&D est primordiale.

Le témoignage de Jacques Printz est d'autant plus précieux que ces cas sont peu documentés. L'article Ada de Wikipédia est d'un lyrisme désarmant et probablement lui-même le produit d'une stratégie d'influence sur la toile dont Wikipédia est un des véhicules, séquelle de la guerre des langages, qui va se poursuivre avec le développement du traitement des données lié à l'expansion du « big data » (traitement de masse des données).

On en retient qu'une norme n'existe pas pour elle-même, pour son esthétique interne. Elle doit viser à organiser la cohérence d'un écosystème qui comprend des programmes, des systèmes d'exploitation et des machines. La bonne norme est celle qui va s'imposer par sa présence, c'est le phénomène des « rendements croissants d'adoption » : une norme n'est pas choisie parce qu'elle est la meilleure, elle est la meilleure parce qu'elle est choisie par le plus grand nombre d'utilisateurs... qui n'ont pas trop le choix. Nous sommes bien loin des rêves libertaires du magazine Wired des années 1990.

Claude Rochet

Références

Michael Porter, *Competitive Strategy. Techniques for Analysing Industries and Competitors*, Free Press, 1980 ; et *Competitive Advantage. Creating and Sustaining Superior Performance*, Free Press, 1985.

Les deux ouvrages sont disponibles en français. Récemment, Porter a publié un article intéressant sur l'Internet des « objets » : Porter, M.E. et Heppelmann, J.E., (2014) « *How Smart, Connected Products are Transforming Competition* », *Harvard Business Review*, November 2014, p. 65-88.

NB : La normalisation est fondamentalement un problème de stratégie industrielle. Il est donc essentiel d'en comprendre les tenants et les aboutissants. Les ouvrages de M. Porter restent une des meilleures références dans le domaine. On peut les compléter par une analyse selon les critères PESTEL ; voir le lien http://en.wikipedia.org/wiki/PEST_analysis.

PARTIE 4

La France dans l'icononomie

SOMMAIRE

Chapitre 9

La France dans l'iconomie : une étoile qui s'éteint ?

Jean-Pierre Corniou

Sommaire

Dans le monde de l'iconomie, la France a-t-elle ses chances ? Toute communauté humaine est douée de facultés d'adaptation et peut évidemment capter les forces de l'époque pour y trouver sa place. La France n'échappe pas à cette logique d'action : elle peut bouger, s'adapter et réussir ! Elle est parvenue à le faire dans diverses circonstances difficiles. Mais les Français sont animés par le sentiment que ce monde nouveau n'est fait ni par eux, ni pour eux. Contrairement à la seconde moitié du XIXe siècle, où la croyance dans le progrès scientifique et technique s'incarnait dans des projets audacieux, contrairement à la renaissance qui a répondu au désastre économique et moral de la Seconde Guerre mondiale, la France ne semble plus trouver le ton juste ni les leviers appropriés pour construire le *leadership* et la confiance dans la société du XXIe siècle. René Rémond écrit en 1988 dans *Notre siècle* : « Les Français s'interrogent aujourd'hui sur la place de leur pays dans le monde et leur interrogation prend souvent la forme d'une crainte de déclin. La question n'est pas neuve. À la fin du XIXe siècle déjà, le sentiment d'une décadence était fort : il a ressurgi dans les années trente, puis vers la fin de la IVe République. Est-il plus justifié aujourd'hui ? »

La spécificité française, qui se caractérise par un modèle social et culturel et un style de vie forgés par une histoire riche, ne peut se dissoudre dans un ensemble mondial que beaucoup pensent dominé et façonné à son image par la nouvelle puissance impériale, les États-Unis. Quand on parle des techniques informatiques, l'évidence de l'insolente réussite américaine ne peut que légitimer toutes ces inquiétudes. De fait, tout se passe comme s'il existait en France une résistance particulière contre l'informatique et le numérique, leurs objets, leurs pratiques, leurs symboles. Cette résistance, qui s'est longtemps manifesté dans les entreprises, n'est pas le fait des individus, car, à titre privé, tous sont tout à fait technophiles. Ceci n'empêche pas le dirigeant, qui adore son dernier iPhone, de considérer que le budget informatique de son entreprise est bien trop élevé et qu'il n'en comprend pas toujours la finalité ! C'est le paradoxe français. On sait que les Français ont un goût immodéré pour la possession et l'usage des objets techniques, mais que les entreprises en raffolent beaucoup moins. De fait, si nous sommes dans le peloton de tête en matière d'objets connectés, nous sommes plutôt à la traîne par rapport à nos concurrents pour l'usage en entreprise, grandes et petites, des technologies de l'information. Plusieurs rapports publiés à l'automne 2014 convergent pour souligner la faible appétence des entreprises françaises pour le numérique, au moment où, paradoxalement, l'État apparaît aux yeux de l'ONU comme le meilleur élève européen en matière d'administration numérique !

Simultanément, les start-up françaises brillent au Consumer Electronic Show de Las Vegas, lieu où se font les réputations, et les ingénieurs français sont très demandés dans les grandes multinationales du numérique.

La lecture de la situation française doit intégrer ces phénomènes complexes et contradictoires. Nous sommes pris dans une logique inexorable de transformation. Deux forces semblent s'opposer de façon caricaturale : une France audacieuse et entreprenante, à l'aise avec la mondialisation, pertinente dans l'innovation, avide de modes technologiques et de symboles de modernité et une France inquiète, repliée sur elle-même, nostalgique. Au cœur de cette contradiction se trouve le rapport non pas avec l'innovation, mais avec les conséquences de l'innovation sur notre modèle social. Le modèle français n'est pas génétiquement construit pour organiser la fluidité indispensable à la préparation et au déploiement de l'innovation. Il s'est élaboré au fil de l'histoire autour d'une vision unitaire et centralisée du pouvoir et du fonctionnement des systèmes, qu'ils soient politiques ou économiques. Mais contrairement à une croyance sommaire qui rend « les autres » responsables de cette inertie, de cette allergie au changement, cette ligne de clivage passe dans toutes les couches de la société et ne se résume à aucun statut social, à aucun parti ni à aucun courant d'opinion. Il n'y a pas de « clan du progrès » opposé à un « clan de la nostalgie ». Chacun d'entre nous vit les tensions créées par la puissante transformation sociotechnique en marche. Tous les secteurs économiques, toutes les activités sont engagés dans ce changement. Comme dans chacune des révolutions précédentes, l'ordre ancien est bousculé dans l'organisation du pouvoir, la répartition des richesses, la hiérarchie des statuts. Mais ce n'est pas une fracture brutale. Plutôt tectonique des plaques que *tsunami*, la révolution numérique de la connaissance redistribue les cartes de façon continue.

Passionnés par l'intensité du débat plus que par la richesse de la recherche du consensus, faute de comprendre les causes profondes de ce que beaucoup persistent à appeler une « crise », nous devons opérer un effort considérable de compréhension des moteurs du monde nouveau pour nous attacher à résoudre les problèmes qui sapent la prospérité collective, et donc l'attractivité du territoire et de l'image. L'iconomie est exigeante, elle ne tolère pas la procrastination. Elle implique l'audace dans l'action, elle ne se contente pas de la subtilité de la controverse.

1. Ce qui a changé... pour toujours

Un pays, c'est avant tout un territoire, une population, un climat. Leurs caractéristiques conditionnent structurellement les paramètres macroscopiques de la performance globale. Pour comprendre où nous allons, il faut se remettre dans une perspective historique de long terme.

La France garde, inconsciemment, la nostalgie de l'époque où la domination française sur l'Europe faisait trembler tous les autres peuples. Les « Américains », alors, c'était nous ! Pour la France, la fin du XVIIIe siècle a été en effet une période heureuse de suprématie sur le continent européen, résultat de la conjonction de la force des idées neuves et iconoclastes des Lumières et de la Révolution et de sa puissance démographique. Avec 24 millions d'habitants, la France surclassait toutes les autres nations européennes et disposait d'une armée puissante, mobile et efficace, dirigée par des jeunes gens audacieux. La chute de l'Empire a été le symbole d'une fin de partie nostalgique dont le XIXe siècle ne s'est pas remis, laissant à ses voisins européens l'image d'une nation ambitieuse, turbulente et guerrière. Mais la dynamique française est brisée, notamment sur le plan démographique, et l'instabilité politique va achever de rendre vulnérable ce pays divisé. C'est l'éternelle rivale, l'Angleterre, qui non seulement a trouvé dans la machine de Watt la puissance nécessaire à son développement économique, mais aussi à sa domination maritime mondiale. C'est l'Angleterre qui a connu une croissance démographique exceptionnelle et un essor colonial planétaire, alors que la France stagnait.

Avec notre population qui ne représente que 0,9 % de la population mondiale et notre territoire très peu dense, nous sommes un pays trop grand pour une population trop faible. Avec 120 habitants au kilomètre carré, la France est le plus grand pays européen et un des moins denses. Cette faiblesse relative par rapport à nos voisins européens peut être un atout de long terme, même si elle pèse durement sur nos coûts de structure.

2. Renouveler le tissu économique

Schumpeter avait raison : le renouvellement du tissu économique est un processus permanent de destruction/création qui s'accélère avec la vitesse de diffusion de l'innovation. Les photographies périodiques que produisent les statistiques rendent faiblement compte de l'intensité des modifications qui affectent le tissu économique. C'est un mouvement continu, constitué plus par de multiples microdécisions que par de grands mouvements qui frappent l'opinion. Les « réformes » ne modifient qu'à la marge les paramètres structurels, en faisant évoluer certains composants du cadre.

Dans une économie ouverte comme l'est devenue l'économie européenne, ce processus est de moins en moins temporisé par les règles et pratiques sociales et par les décisions politiques, mais animé par la vitesse d'adaptation à l'innovation technique. De fait les chefs d'entreprise sont conduits à innover en intégrant de nouveaux produits, de nouvelles machines, de nouveaux processus de production et de *supply chain* qui transforment les organisations existantes et poussent les acteurs à s'adapter à un nouveau contexte technique et à développer de nouvelles qualifications.

Si, globalement, l'économie française peut donner l'image d'une activité vieillissante et de moins en moins performante, à travers notamment le nombre croissant de demandeurs d'emploi et le solde négatif de la balance commerciale, l'analyse des flux montre une situation beaucoup plus contrastée.

Une nouvelle économie émerge et s'appuie sur l'innovation et la créativité. Mais contrairement à beaucoup d'idées reçues, l'innovation ne se limite pas aux technologies de pointe. Tous les secteurs industriels et de services peuvent et doivent innover et dans toute activité, l'économie française est capable de faire naître des champions.

Ainsi, la réalité économique et industrielle de la France recouvre des situations méconnues de performances remarquables, qui ont peu d'écho dans l'opinion ou auprès de la classe politique, toujours en quête d'exploits médiatisables mais peu sensible à l'effort quotidien de centaines de milliers d'acteurs économiques qui transforment leur mode de pensée et de production.

Prenons le secteur des revêtements de sols techniques pour le logement, les lieux recevant du public, salles de sport ou milieux hostiles. Qui est conscient que c'est un domaine français d'excellence avec Tarkett, entreprise vieille de 130 ans, *leader* mondial réalisant 2,5 milliards d'euros de chiffre d'affaires, et employant 11 000 salariés dans le monde. Si d'autres marques sont plus connues du grand public comme Seb, Legrand ou Somfy, c'est également au prix d'investissements continus en recherche et développement, comme dans leur outil de production français.

Pour mobiliser les compétences au service d'un projet de performance globale, six axes doivent être explorés de façon simultanée, afin de définir le champ d'une stratégie numérique d'entreprise :

– Porter le client au cœur de nouvelles interactions numériques, en misant sur la capacité d'initiative du client « expert » et en sollicitant ses réactions et contributions ;

– Faire de l'entreprise étendue un écosystème efficient, fondé sur la richesse des interactions entre partenaires ;

– Intégrer la mobilité des fournisseurs, clients et collaborateurs comme vecteur de performance ;

– Recomposer, de façon dynamique, les combinatoires de compétences du cœur de l'organisation, mais surtout du réseau élargi, en misant sur la « sagesse des masses » ;

– Faire émerger les nouvelles valeurs du manager numérique, leader *plus que patron,* coach *plutôt que chef ;*

– S'insérer, sans complaisance ni abandon, avec intelligence et sans naïveté, dans la mondialisation numérique en maîtrisant ses nouvelles règles.

L'innovation est le moteur de l'économie. C'est parce que nous innovons sans cesse, avec un rythme qui ne cesse de s'accélérer depuis le début de la révolution industrielle, que nous sommes capables aujourd'hui de vivre beaucoup mieux et beaucoup plus longtemps que par le passé. Sans disserter à l'infini sur la relativité de la notion de progrès, on observe simplement que, malgré de nombreuses insuffisances, voire même de graves dégâts, la machine économique a été en mesure de changer en profondeur les conditions de vie non seulement dans les pays développés pionniers de la révolution industrielle, mais aussi, et c'est nouveau, sur l'ensemble de la planète, comme en témoigne l'essor de la classe moyenne dans de nombreux pays émergents.

Cette réussite est due à des femmes et à des hommes qui ont décidé de chercher de nouvelles voies dans tous les domaines qui influent sur notre cadre de vie. Ces savants, chercheurs, entrepreneurs ont créé les conditions scientifiques et techniques de la mise en œuvre de nouveaux procédés, de nouveaux produits et de nouveaux services. C'est une longue chaîne de talents qui, affrontant les idées dominantes de leur époque, ont osé sortir des chemins tous tracés de la routine pour affronter le risque du changement. Certains ont réussi, ont pu laisser leur nom dans l'histoire et parfois même s'enrichir. D'autres, la plupart d'entre eux d'ailleurs, sont restés dans l'anonymat, même si parfois leurs idées ont réussi à être reprises par d'autres et, finalement, se sont imposées. Dans cette longue galerie de portraits, illustres ou modestes, les Français ont largement tenu leur place et à toutes les époques, les scientifiques et entrepreneurs français ont su ouvrir de nouvelles pistes prometteuses. Dans certains cas, ces prouesses individuelles ont trouvé un large succès public et ont quitté le laboratoire pour devenir des innovations sociétales. Sommes-nous capables de continuer à écrire l'histoire de la science, de la technique et de l'innovation, comme nos prédécesseurs ont réussi à le faire depuis 250 ans ?

Juger d'un pays par sa capacité à innover est un exercice d'autant plus difficile que la mondialisation numérique estompe les frontières géographiques et temporelles. Les produits se diffusent rapidement, les pratiques sont plus lentes à faire évoluer.

Faut-il, pour être un peuple innovant, inventer l'iPhone ou l'utiliser dans toutes les sphères de la société pour bouleverser les processus de travail et d'accès à la connaissance ? La France est sixième au palmarès mondial des dépôts de brevets et quatrième pour les dépôts de brevets en Europe. Cette position suffit-elle à développer les marchés et créer les emplois nécessaires ? La France en proie au doute ne se sent plus une nation innovante et remet en cause ses propres capacités de changement. L'histoire jugera. Mais il est intéressant de comprendre cette cloison bien fragile qui sépare le succès de l'échec. Innover c'est admettre l'échec, le comprendre et le dépasser.

3. Une longue série de premières mondiales et quelques ratés

Nation d'ingénieurs, adepte des Lumières, la France a su inventer les concepts et les machines propices à la transformation. N'oublions pas que le système métrique est une invention française, officialisée par le décret du 18 germinal an III, qui a induit un bouleversement majeur de la société et a connu un succès universel. Quelques années plus tard, sur les traces de Pascal, Charles-Xavier Thomas, de Colmar, invente l'arithmomètre en 1820, première machine à calcul industrielle, et devient d'ailleurs riche. Pourquoi n'a-t-il pas fondé alors ce qui aurait pu devenir IBM ? Il a fallu attendre un siècle pour que les Américains le fassent. Pour réussir durablement, il faut réunir de nombreuses conditions : des produits attrayants, un marché solvable, une capacité de communication et de mise en marché, des équipes se remettant en cause, un souci constant de la qualité perçue. Ces vertus sont le propre d'entreprises à la fois innovantes et pérennes. Mais ces conditions sont difficiles à réunir dans la durée. Car pour réussir, il faut aussi être en phase avec l'époque. Ce synchronisme – ni trop tôt, ni trop tard – est un facteur largement lié au hasard et à la chance, pas seulement au talent. Les innovations disruptives ne naissent que rarement dans les laboratoires, aux processus de recherche bien structurés, mais plutôt dans l'intuition, le bricolage et la sensibilité des créateurs, pour répondre à une demande qui n'existe pas encore.

L'histoire économique a démontré l'inventivité de la France dans tous les domaines structurants de la société : l'énergie, les transports, la santé. Nous sommes aujourd'hui un des rares pays au monde à maîtriser l'ensemble des composants d'un système moderne de défense. Dans chaque secteur d'activité, nous avons su créer des champions mondiaux. Les firmes du CAC 40 sont devenues mondiales et la plupart d'entre elles sont des championnes prospères de leur secteur. Mais certains échecs ont été cruels et apparaissent comme des stigmates indélébiles de quelques graves erreurs stratégiques et de gâchis économiques et financiers.

Dans le monde du transport, malgré notre expertise globale, nous avons enregistré de graves contre-performances. Mettre en service le paquebot France en 1962, acte de souveraineté sous le patronage du président de la République, fut une décision trop tardive et rapidement condamnée à l'échec dès 1965, alors que le marché du transport transatlantique était déjà marqué par l'essor des jets commerciaux, le Boeing 707 étant en service sur l'Atlantique nord depuis 1958. L'épopée de l'aérotrain est aussi intéressante. Était-ce une bonne décision que de financer sur fonds publics, en 1967, l'aérotrain de Jean Bertin, système révolutionnaire de transport à grande vitesse en site propre sur coussin d'air, alternatif au système de transport sur voie ferrée ? Ce système allait démontrer sa performance technique en atteignant 430 kilomètres à l'heure, mais aussi son inefficacité énergétique après la crise du pétrole de 1974, pour être finalement abandonné en 1977. Il peut être considéré comme une innovation ratée, même si les recherches ont été poursuivies dans le monde, mais avec une technologie différente, comme par exemple la sustentation magnétique à Shanghai. Le Japon a aujourd'hui battu en 2015 le record mondial de vitesse sur rail avec un train à sustentation magnétique.

Citons également Concorde. Magnifique projet technique et industriel, projetant les compétences aéronautiques de la France et de la Grande-Bretagne dans un domaine mythique, le transport de passager à vitesse supersonique, Concorde s'est heurté aussi bien au protectionnisme américain, agressé par ce produit qui n'avait pas été conçu par une firme américaine, qu'aux contraintes énergétiques et de sécurité.

Dans ces deux cas, la technique n'était probablement pas appropriée, puisque personne n'a à ce jour repris le concept. Le passage au marché est une étape difficile où l'idée brillante se confronte brutalement aux réalités économiques : coût de production et de maintenance, impact environnemental, compatibilité avec les contraintes d'exploitation de réseaux et de flottes. Mais on peut aussi penser que ces échecs commerciaux ont permis d'accumuler de l'expérience et ouvert la voie au succès d'Airbus.

Plus graves sont les initiatives sans lendemain. On peut citer le système SECAM de télévision en couleur, le Minitel, lancé en 1982, mais aussi le Plan informatique pour tous de 1985, avec les fameux ordinateurs MO5 de Thomson. Dans ces trois cas, la technique n'était pas en cause, mais le refus obstiné et orgueilleux de s'inscrire dans une logique de standards internationaux a coupé les industriels de tout espoir d'exportation. Innover seul dans une économie ouverte suppose une prise de risque considérable, que le poids de l'État en France a permis d'absorber, mais au prix de dépenses sans lendemain, et souvent même d'un retard pour rattraper les standards mondiaux. Le Minitel n'a pas préparé l'économie de l'Internet, tant les modèles d'affaires étaient différents, même si quelques acteurs ont pu y trouver les bases de leurs ambitions. Mais le programme Télétel a été sans conteste une remarquable réussite technique et commerciale, avec neuf millions de terminaux, jusqu'au début des années 2000. L'expérience Teletel fut observée de très près par tous les autres pays, dont les États-Unis, alors que se préparaient les bases de l'Internet qui, très vite, allait rendre désuets l'ergonomie, la rapidité, le caractère fermé du système et la qualité de service du Minitel. Finalement, la France a abandonné le Minitel. Quel bilan établir de cette expérience ? Il n'est pas sûr que les entreprises françaises qui ont utilisé les services télétel soient mieux préparées au monde du web que leurs concurrentes étrangères.

Innover suppose également, pour des entreprises robustement installées dans leur métier, la difficile décision d'accepter de remettre en cause leurs choix et leur doctrine. On peut estimer que l'obstination, légitime, et finalement couronnée de succès, mise par Dassault Aviation à vendre son Rafale, produit complexe et coûteux au sommet de la technique, a retardé le développement des drones en France, l'armée étant contrainte d'acquérir aujourd'hui du matériel américain. Or les drones de surveillance et de combat, en définitive appelés à remplacer les chasseurs pilotés, représentent aujourd'hui une voie majeure de développement des flottes aériennes mondiales. Ayant la capacité technique de les développer, les industriels français, comme leur client public, ont refusé de le faire depuis vingt ans, laissant les États-Unis et Israël prendre une avance considérable sur ce marché prometteur. On peut également penser, comme le débat sur les échecs commerciaux des industriels l'a mis en évidence, que le choix de la filière française de centrales EPR n'a pas permis de développer d'autres filières plus économiques et plus accessibles. La France, en revanche, s'est dotée des moyens de développer une filière hydrolienne compétitive bien qu'encore peu reconnue par le marché.

Ces exemples se situent tous dans des domaines pour lesquels l'action publique reste prépondérante, soit par ce qu'il s'agit de secteurs régaliens, liés à la souveraineté nationale, soit parce que la demande publique joue un rôle clef dans le mise en marché. La place de l'État en France comme stratège économique, la proximité de corps entre industriels et pouvoirs publics, le rôle de la recherche publique, comme le CEA, expliquent cette spécificité. Elle existe également dans d'autres pays dès lors qu'il s'agit de souveraineté nationale.

Mais il est aussi vrai que les marchés grand public, qui ne font pas l'objet d'une même attention de l'État, n'échappent ni aux erreurs ni aux réussites, à partir d'intuitions différentes sur l'évolution des marchés. Dans le domaine clef de l'électro-mobilité, l'histoire tranchera, là encore, sur la compétition de fait entre Bolloré et son système intégré d'autopartage et Renault et la vente de voitures électriques sur un modèle automobile classique. L'un propose une rupture globale dans l'usage de l'automobile, l'autre reste sur un modèle classique d'accession à la propriété individuelle, tempéré par la location des batteries. Car l'innovation n'est plus seulement technique, elle se situe désormais largement dans les modèles d'usage. On peut, dans le domaine de la mobilité, saluer le remarquable succès de l'organisation du covoiturage avec blablacar.com, qui s'affiche comme un *leader* mondial. Il faut aussi suivre avec intérêt la tentative de transformation du métier des postiers, avec la mise à disposition pour chaque facteur d'un téléphone intelligent, Facteo, leur permettant de devenir des acteurs multiservices. Si un service public de cette taille confronté à une contraction de son marché historique, le courrier, peut se renouveler, ce sera une innovation sociétale marquante.

Il faudrait également citer, pour être complet, la pharmacie, la chimie et les matériaux pour lesquels des industriels préparent l'avenir et qui s'inscrivent dans les 34 plans de la nouvelle France industrielle, récemment ramenés de façon pragmatique à dix. N'en doutons pas, la France peut maîtriser l'innovation dans la grande majorité des secteurs économiques, y compris bien naturellement les services. Elle a les ressources intellectuelles, l'expertise et le tissu économique pour le faire. Certaines seront des succès, d'autres des échecs. Car innover, c'est aussi reconnaître le droit à l'échec. Et donc admettre et même se féliciter de la rémunération du succès. C'est une culture de l'initiative qui doit être développée à tous les niveaux, dans toutes les entreprises et dès l'école. Car si l'alchimie de la réussite de l'innovation a sa part de mystère, on sait que c'est en multipliant les initiatives, les prises de risque, sans relâche, que l'on verra germer les activités de demain.

4. Une base sociale fragilisée

Le rapport annuel de l'Insee 2014, publié en novembre, donne des chiffres sans appel. Le chômage de longue durée a augmenté en France depuis 2012 et concerne 1,1 million de personnes, soit quatre chômeurs sur dix. Il touche toutes les populations structurellement défavorisées. 4,5 millions de personnes sont concernées par les minima sociaux. Entre 2008 et 2012, la croissance des bénéficiaires du RSA a été de 26 %. Si cette situation structurelle ne peut être imputée au quinquennat actuel, elle ne montre aucun signal d'amélioration. S'il est un point sur lequel il devrait y avoir un consensus transpartisan, c'est que la situation de l'emploi, et donc la situation économique de la population, ne cesse de se dégrader.

Néanmoins, tout gouvernement français se sent obligé d'intervenir dans le domaine industriel. C'est une constante dans un pays colbertiste où l'État, depuis la fin de la Seconde Guerre mondiale, se pense légitime à agir pour infléchir la logique des industriels. Le « meccano industriel » est une activité pratiquée par tous les gouvernements, pour constituer des ensembles industriels conformes à leurs vœux. Cette activité, tant de l'État actionnaire que de l'État stratège, a des conséquences à long terme. Le dépeçage de la Compagnie générale d'électricité, le Siemens français, en 1998 s'est traduit par une constante perte d'influence mondiale dans ce secteur porteur, comme en témoignent la sortie peu glorieuse d'Alcatel et d'Alstom du patrimoine industriel français. Nul ne peut dire ce qu'il en sera d'Alstom transport à moyen terme. Les problèmes complexes d'Areva, qui appartient à 83 % à l'État, démontrent aussi que l'État actionnaire est, comme les autres, confronté à des difficultés de gestion.

Cette action publique ne se limite pas aux secteurs stratégiques comme l'énergie, les transports, les infrastructures et les industries d'armement. Elle est vaste et concerne de multiples secteurs et entreprises. En période de chômage, elle confine à l'activisme, car toute annonce de fermeture d'usine ou d'acquisition est perçue comme une mauvaise nouvelle pour l'emploi et implique donc une intervention publique, même si les moyens d'actions sont limités. Historiquement, l'État a développé à travers ses corps d'ingénieurs, ses entreprises nationalisées et son administration territoriale une expertise qui lui permet de penser qu'il agit, mieux que l'entreprise privée, dans le sens de l'intérêt général. Son intervention dans l'activité industrielle est donc non seulement légitime, mais encore indispensable. Ce parti pris est persistant et ne se limite pas aux partis de gauche.

Toutefois, le mandat d'Arnaud Montebourg restera à cet égard emblématique. Omniprésent, péremptoire, il a illustré cette forme de « modèle français » activiste et largement impuissant à l'épreuve des faits.

4.1. Le succès des start-up ne suffit pas, il faut le transformer

Or, la France est en train de montrer au monde qu'elle dispose d'une ressource majeure de créativité et de compétitivité, les start-up ! Nous avons réussi à prouver depuis quelques années déjà que quelques entrepreneurs audacieux étaient capables de dépasser la Silicon Valley aux États-Unis, et de réussir mondialement avec des objets qui remportent chaque année, au CES de Las Vegas, la palme de la créativité. Car ces entrepreneurs savent aussi transformer leurs intuitions en succès commerciaux. Parrot, Withings, Netatmo, Criteo, Sculpteo sont aujourd'hui, chacun dans leurs domaines, de jeunes vétérans, imités désormais par des centaines de start-up qui, partout en France, innovent, créent, vont à l'assaut des marchés mondiaux. Elles sont particulièrement visibles en région, où elles trouvent un terreau favorable auprès des collectivités territoriales, des grandes écoles et des universités qui en soutiennent la création.

Parmi les nombreuses manifestations destinées à doper la créativité des entreprises, *Les Trophées des industries numériques*, organisés par L'usine nouvelle en octobre 2014, se singularisent car ils ne concernent pas que des start-up. Ils ont rassemblé des entreprises de tailles et de secteurs différents, mais toutes désireuses d'exploiter les technologies de l'information comme vecteur majeur de leur transformation. Airbus, Orange, L'Oréal ou Renault ont concouru notamment avec Daitaku, née en 2013 pour mettre au point un logiciel d'analyse de données, ou Upgraduate, qui acclimate les MOOC au monde de l'entreprise. Le Slip Français s'est imposé dans le textile grâce aux réseaux sociaux, Lippi a bouleversé l'organisation du travail en formant la totalité de son personnel aux techniques numériques. Cette diversité démontre que le numérique s'applique à tous les secteurs, à toutes les tailles d'entreprise, à toutes les situations. C'est tout le cycle de vie des produits et les rythmes de l'entreprise qui est concerné par la transformation numérique. Les start-up qui sont nées dans cet univers numérique disposent d'une capacité innée à en tirer toutes les potentialités. Elles offrent un modèle dont s'inspirent les grandes entreprises les plus mobiles. On peut résumer, comme le fait Le Slip Français sur son site web, cette philosophie de l'innovation : « Le Slip Français est bien plus qu'une marque de sous-vêtements. C'est une véritable dynamique où se rencontrent savoir-faire, fabrication française et tradition mais surtout modernité, humour et internet. C'est une nouvelle manière de créer, de communiquer, d'interagir avec sa communauté et c'est un vrai souffle de jeunesse et d'enthousiasme résolument ancré dans l'air du temps. »

Les start-up françaises représentent d'abord un enjeu économique majeur, car elles permettent de créer de nouvelles activités pour relayer, à terme, la vieille économie défaillante. Mais elles jouent aussi un rôle politique en incarnant le dynamisme et l'espoir, alors que la plupart des indicateurs classiques incitent au pessimisme.

Le gouvernement entend utiliser ce mouvement comme vecteur d'attraction de capitaux internationaux, mais aussi pour changer l'image d'un pays trop souvent perçu comme vieilli, bureaucratique, râleur et déconnecté de la réalité du monde de l'entreprise du XXIe siècle.

French Tech est un programme gouvernemental qui vise à labelliser des territoires qui font du numérique leur axe majeur de développement. Plus de vingt métropoles ont constitué un dossier pour recevoir le label French Tech, se faire connaître à l'étranger et catalyser initiatives privées et actions publiques. Avec un État peu riche en moyens, ce ne sont pas des subventions qui déclencheront l'ambition numérique, mais la coopération entre acteurs. Il faut souligner que, sans participer à cette reconnaissance publique, de nombreuses collectivités engagent la convergence numérique de leur territoire en partenariat avec les Chambres de commerce, les agences de développement économique et les entreprises. Il ne faut pas croire que la technologie ne s'exprime que dans les territoires les plus connus. Beaucoup de communautés ont compris, notamment dans les anciens bassins industriels, l'enjeu de la renaissance numérique. Il faut ainsi citer, parmi tant d'autres communautés ayant été frappées par la crise et désormais galvanisées par l'aventure numérique, l'exemple de Roanne, dont la rencontre des « Instants numériques » a été un remarquable succès, rapprochant des entreprises anciennes comme Nexter et des start-up.

Le mouvement des start-up françaises, dynamique et foisonnant, s'appuie sur plusieurs vecteurs de performance qui ont été développés au cours des dernières années et ont progressivement constitué un environnement favorable à la création.

D'abord le crédit impôt-recherche, qui est un outil très apprécié, fait de la France « un paradis fiscal » pour l'innovation. Les grandes entreprises exploitent largement cette manne de six milliards d'euros par an, qui permet d'obtenir un crédit d'impôt égal à 30 % des dépenses de R&D éligibles jusqu'à 100 millions d'euros par an. C'est également un élément d'attraction pour les entreprises étrangères. Les PME, qui n'en ont pas été les premières bénéficiaires, avec 88 % des déclarants mais seulement 35 % des crédits, ont vu en 2013 les conditions d'attribution élargies.

Ensuite le travail des pôles de compétitivité, lancés en 2004, qui ont fait émerger des zones d'excellence, les *clusters*, où entreprises, laboratoires de recherche et universités travaillent étroitement ensemble pour faire émerger des idées neuves et développer les entreprises qui les incarnent et les propulsent sur le marché.

Les incubateurs de start-up se multiplient. Paris dispose de 10 000 mètres carrés de bureaux qui leur sont destinés, et grâce à l'initiative conjointe de la Caisse des dépôts, de la Ville de Paris et de Xavier Niel, va se doter en 2016, avec la Halle Freyssinet, d'un nouvel espace qui serait aujourd'hui unique au monde. Les grandes entreprises et les banques suivent également ce mouvement. Le Crédit Agricole a ouvert à Paris en octobre 2014 son « village by CA », espace d'*open innovation* et pépinière destiné à accueillir les start-up. La Poste a lancé son incubateur, Start'inPost. Les espaces de coworking, comme Numa à Paris, qui a succédé à l'espace pionnier La cantine, accueillent en séminaire les équipes des grandes entreprises, telles Airbus, pour décloisonner et ouvrir les cadres à la culture de l'innovation transversale.

La France apparaît déjà dans les classements internationaux comme un pays fertile en initiatives numériques. Elle se prépare, notamment avec la French Tech, à la nouvelle révolution industrielle. Après les NTIC – nouvelles technologies de l'information – ce sera en effet les NBIC – nanotechnologies, biotechnologies, intelligence artificielle et sciences cognitives – qui vont alimenter la **transformation** de notre tissu économique. Le pessimisme ambiant ne doit pas nous faire négliger que les entreprises se sont mises en mouvement et qu'une génération de nouveaux entrepreneurs leur montre la voie. La France numérique n'est plus une volonté désincarnée, c'est une réalité en marche. L'économie de la connaissance donne toutes ses chances à la France. Elle doit sortir de ses complexes, de son modèle centralisateur et hiérarchique, voire monarchique, pour miser sur l'intelligence répartie, sur les réseaux fédérateurs, sur la créativité des jeunes pousses comme sur l'expérience des grandes entreprises.

Empruntons à David S. Landes, dans son magistral ouvrage, *Richesse et pauvreté des nations*, cette conclusion pragmatique : « La seule leçon qui ressort est la nécessité de persévérer. Il n'y a pas de miracles. Pas de perfection. Pas de millénarisme. Pas d'apocalypse. Nous devons cultiver une foi sceptique, éviter le dogmatisme, écouter et ouvrir les yeux, nous efforcer de clarifier et de définir les fins pour mieux choisir les moyens. »

Références

Rémond, René, (1988), *Notre siècle 1918-1988*, Fayard.

Landes, David S., (1998), *Richesse et pauvreté des nations*, Albin Michel.

Biographies des auteurs

Claude Rochet, né en 1949, Maître ès lettre en histoire, ENA, docteur en sciences de gestion, HDR, diplômé en intelligence économique. Exerce dans la haute fonction publique après avoir été cadre dirigeant et consultant de direction générale en France et au Canada. Professeur des universités à l'IMPGT CERGAM d'Aix en Provence, il est l'auteur de nombreuses recherches et publications sur le rôle de l'État dans le développement économique en lien avec l'évolution de la technologie.

Michel Volle, né en 1940, X-ENSAE, docteur en histoire, coprésident de l'institut de l'iconomie. Administrateur de l'INSEE, où il a dirigé la statistique des entreprises et les comptes nationaux trimestriels. Chef de la mission économique au CNET de 1983 à 1989. Fondateur et PDG des entreprises de conseil Arcome et Eutelis dans les années 1990, puis directeur de la mission système d'information à Air France. Auteur d'ouvrages sur la statistique et l'informatisation.

Jean-Pierre Corniou, né en 1950, DES en sciences économiques, IEP Paris, ENA. Après une carrière dans la fonction publique, il entre dans le groupe Usinor Sacilor dont il devient Chief Information Officer, puis dans le groupe Renault comme CIO. Depuis 2006, il participe à la direction d'un cabinet de conseil, Sia Partners. Il a écrit de nombreux livres et articles sur l'informatique et les systèmes d'information, et sur la mobilité. Il tient depuis 2005 un blog, « Technologies et société de la connaissance ».

Francis Jacq, né en 1951, docteur en philosophie, diplômé en sémiologie, diplômé en génie électronique. Formateur en situation d'action des opérateurs, des managers, des chefs de projet de 1978 à 1988. Directeur des ressources humaines du journal le Monde de 1988 à 1992. Ensuite, consultant en ingénierie des connaissances. A Air France, coordinateur des assistances maîtrise d'ouvrage au sein de la mission système d'information de 1996 à 2000. Directeur des référentiels et du management des connaissances à France Télécom de 2000 à 2006. Auteur d'ouvrages sur l'expression des salariés.

Jacques Printz, né en 1942, Ingénieur diplômé de l'École Centrale. Professeur émérite du Cnam. A présidé le département Science et Technologie de l'Information et de la Communication du Cnam où il a fondé le Centre de Maîtrise des Systèmes et du Logiciel. A occupé des postes de direction technique dans l'industrie et les services dans le domaine des systèmes d'exploitation et des grands systèmes de défense. Auteur d'ouvrages sur l'architecture logicielle et l'ingénierie de projets informatiques.

Laurent Bloch, né en 1947, statisticien, informaticien. Après huit ans comme développeur et ingénieur système à l'Insee, rapporteur à la Commission de développement de l'informatique du Ministère de l'Économie et des Finances, puis responsable de l'informatique scientifique à l'Ined, au Cnam et à l'Institut Pasteur. Responsable de la sécurité des Systèmes d'information de l'Inserm, puis Directeur du Système d'information de l'université Paris-Dauphine. Chercheur en Cyberstratégie. Enseigne l'informatique. Auteur de plusieurs livres et d'un site Web consacré à l'informatique.

Pierre-Jean Benghozi est ancien élève de l'École polytechnique, Docteur en sciences des organisations et HDR en économie à l'Université Paris Dauphine. Directeur de recherche au CNRS et professeur à l'École polytechnique, il y a dirigé, jusqu'en 2013, le « Pôle de Recherche en Économie et Gestion » (UMR CNRS) et la Chaire « Innovation et Régulation des Services Numériques » qu'il avait fondé, en partenariat avec Telecom ParisTech. Membre du Collège de l'Autorité des communications électroniques et des postes (ARCEP), Pierre-Jean Benghozi est un des précurseurs reconnus de l'économie de l'internet sur lequel il publie régulièrement en France et à l'étranger.

Table des matières

Partie 1
Au fil du temps qui passe : permanences, ruptures, opportunités

Partie 2
Les nouveaux modèles en action